texto 1

méthode de français **A1**

Cahier d'activités

Corina Brillant

Lucas Malcor

Marie-José Lopes

Jean-Thierry Le Bougnec

hachette

FRANÇAIS LANGUE ÉTRANGÈRE

Crédits photographiques
Photos de couverture : © Nicolas Piroux
Photos de l'intérieur du manuel : p. 67 a : *la Dame à l'hermine,* 1496, Léonard de Vinci (1452-1519), (Cecilia Gallerani) © Czartoryski Museum, Cracow, Poland / The Bridgeman Art Library. b : *Déjeuner sur l'herbe,* 1863, Edouard Manet (1832-83) / Musee d'Orsay, Paris, France / Giraudon / The Bridgeman Art Library.
c : *Composition n° 7,* 1913, Wassily Kandinsky (1866-1944) / Tretyakov Gallery, Moscow, Russia / The Bridgeman Art Library. Autres : © Shutterstock.

Couverture : Nicolas Piroux

Conception graphique : Nicolas Piroux / **Médiamax**

Mise en page : **Médiamax** et Sylvie Daudré

Secrétariat d'édition : Sarah Billecocq

Cartographie : Pascal Thomas, Hachette Éducation

Illustrations :
Félix Blondel : p. 17, 20, 21, 50, 51, 56, 65, 72, 94
Corinne Tarcelin : p. 8, 18, 19, 35, 39, 42, 44, 47, 53, 55, 57, 77, 79
Gabriel Rebufello : p. 45

Édition : Anne-Marie Johnson

Enregistrements audio, montage et mixage : Qualisons (D. Hassici) et J. Bonenfant pour la maîtrise d'œuvre

Tous nos remerciements à Nelly Mous pour l'épreuve DELF A1.

ISBN 978-2-01-401587-4

© HACHETTE LIVRE, 2016, 58, rue Jean-Bleuzen, F92178 Vanves, Cedex France. http://www.hachettefle.fr

Sommaire

On y va !

La classe

1 Écoutez et écrivez les mots sous les dessins.

Exemple : un cahier

a ..... un stylo .....

b ..... chaise .....

c ..... le livre .....

d ..... l'ordinateur .....

e ..... une table .....

2 Associez.

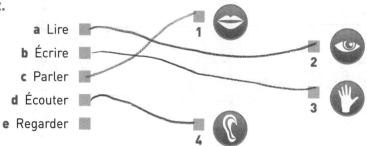

a Lire

b Écrire

c Parler

d Écouter

e Regarder

1

2

3

4

Les nombres

3 Formez des nombres avec les mots et écrivez en chiffres et en lettres.

quatre – trois – soixante – vingt – dix – huit – onze – et – un

Exemple : 78 : soixante-dix-huit

a ....

b ....

c ....

d ....

e ....

f ....

Les mots...

Pour apprendre

Comment on dit ... en français ?
Qu'est-ce que ça veut dire ... ?

Comment ça s'écrit ?
Je ne comprends pas.

4 Comptez et écrivez en chiffres et en lettres.

a deux - quatre - quatre - quatre   b un - un - un - un

c cinq - cinq - six - trois   d cinq - cinq - trois - trois

e deux - deux - deux - cinq   f cinq - cinq - cinq - six

Les mois

5 Complétez le calendrier des fêtes nationales avec les noms des mois.

a *Janvier*

Australie : 26/01

b Septembre

Mali : 22/09

c Février

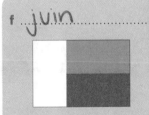

Sri Lanka : 04/02

d avril

Afrique du Sud : 27/04

e décembre

Japon : 23/12

f juin

Madagascar : 26/06

g mai

Argentine : 25/05

h août

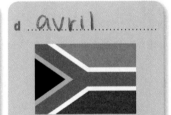

Inde : 15/08

i juillet

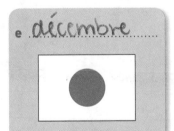

France : 14/07

j octobre

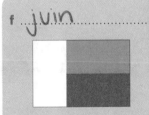

Turquie : 29/10

k novembre

Liban : 22/11

l mars

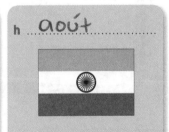

Grèce : 25/03

Les jours de la semaine

6 Retrouvez les jours de la semaine.

Exemple : ulnid : lundi

a eiujd : ....

b mdria : ....

c edancihm : ....

d ircemrde : ....

e rneddeiv : ....

f dasemi : ....

7 Écrivez les jours de la semaine sur l'agenda. Entourez les jours du week-end.

Lundi

Les saisons

8 Notez le nom des saisons.

En France :

a du 20 mars au 20 juin, c'est ....

b du 21 juin au 21 septembre, c'est ....

c du 22 septembre au 20 décembre, c'est ....

d du 21 décembre au 19 mars, c'est ....

9 Écrivez la saison qui correspond à chaque photo.

a ....

b ....

c ....

d ....

La francophonie

10 Barrez l'intrus.

a Belgique – Sénégal – Chine

b Victor Hugo – J.K. Rowling – Aimé Césaire

c Céline Dion – Youssou N'Dour – Mickael Jackson

11 Complétez avec *chaîne de télévision, continents, pays, écrivains, francophones.*

a Le français est parlé sur les 5 ....

b TV5 est une .... francophone diffusée dans plus de 200 ....

c Aimé Césaire et Amélie Nothomb sont des .... francophones.

d Il y a 200 millions de .... dans le monde.

Leçon 1 | Bienvenue !

| Comprendre

Les salutations

1 Écoutez et associez les photos et les dialogues. 03

dialogue a → 1

dialogue ....

dialogue ....

dialogue ....

Les présentations

2 Salutation ou présentation ? Choisissez la bonne réponse.

		Présentation	Salutation
a	Moi, c'est Karima.	✖	▨
b	Salut Vincent !	▨	▨
c	Il s'appelle Ludovic.	▨	▨
d	Moi, je m'appelle Pedro.	▨	▨
e	Bonjour Claire.	▨	▨
f	Elle s'appelle Catherine.	▨	▨

---

texto

8

| Pour...

→ Demander/Dire le prénom et le nom

Comment tu t'appelles ?
Comment vous vous appelez ?

Je m'appelle + prénom + nom
Je m'appelle Laurent Bonomi.
Moi, je m'appelle + prénom
Moi, je m'appelle Juliette.
Moi, c'est + prénom
Moi, c'est Hugo.

Les mots...

Des salutations

bonjour ☀
bonsoir ☽
salut
coucou
bonjour à tous
enchanté(e)

3 Mettez les mots dans l'ordre pour former des phrases.

appelez – Vous – Robert – vous → Vous vous appelez Robert.

a Adrien – appelle – m' – Je ....

b est – Moi – Anna – c' ....

c s' – Philippe – appelle – Il ....

d nous – Kamel – appelons – Antoine – Nous – et ....

e appelle – je – Moi – Claire – m' ....

f Elle – Stéphanie – appelle – s' ....

___**Vocabulaire**_____

Les mots des salutations

4 Associez.

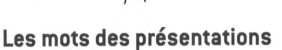

■ Salut !

■ Bonjour !

■ Bonsoir !

■ Coucou !

Les mots des présentations

5 Lisez les présentations et cochez les bonnes réponses.

	Présentation correcte	Présentation incorrecte
a Je m'appelle Dujardin Jean.	■	■
b Moi, c'est Tautou Audrey.	■	■
c Je m'appelle Omar Sy.	■	■

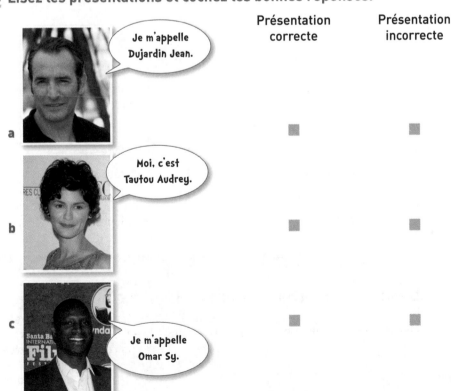

Grammaire

Le verbe *s'appeler* au présent

6 Complétez avec le verbe *s'appeler* au présent.

a – Bonjour, je *m'appelle* Lucie.

   – Moi, je *m'appelle* Louis.

   – Enchantée.

b – Vous *appelez* Pierre ?

   – Non, *je m'appelle* Peter.

c – Comment ils *s'appellent* ?

   – Elle *s'appelle* Andrea et il *s'appelle* Antonio.

d – Elles *s'appellent* Carole et Amélie ?

   – Non, elles *s'appellent* Caroline et Émilie.

e – Nous *appelons* Antoine et Jérémie.

   – Moi, je *m'appelle* Robert.

f – Comment tu *t'appelles* ?

   – Je *m'appelle* Flore.

7 Associez.

a je m' \

b tu t' \

c il/elle s' \

d nous nous 2

e vous vous 3

f ils/elles s' \

   1 [apɛl]

   2 [aplɔ̃]

   3 [aple]

L'article défini

8 Complétez avec *le, la, l'* ou *les*.

a *le* prénom

b *la* tablette

c *l'* affiche

d *les* saisons

e *la* classe

f *les* nombres

g *l'* ordinateur

h *la* chaise

i *la* livre

j *la* fête

k *le* tableau

l *les* jours

Grammaire

Les pronoms personnels sujets
et *s'appeler* au présent

je (j')	m'appelle	[ʒəmapɛl]
tu	t'appell**es**	[tytapɛl]
il/elle	s'appell**e**	⎱ [ilsapɛl] [ɛlsapɛl]
ils/elles	s'appell**ent**	⎰
nous	nous appel**ons**	[nunuzaplɔ̃]
vous	vous appel**ez**	[vuvuzaple]

Le pronom tonique « moi »
[mwa]
Moi, je m'appelle Juliette.

L'article défini

masculin	féminin	pluriel
le – l' (+ voyelle)	la – l' (+ voyelle)	**les**
le vélo	*la copie*	*les copies*
l'ordinateur		*les vélos*
		les ordinateurs

texto

10

───── **Communiquer** ──────────────────────────────────────

Pour demander/dire le prénom et le nom

9 Écrivez un message à une personne de la classe : vous saluez et vous dites comment vous vous appelez.

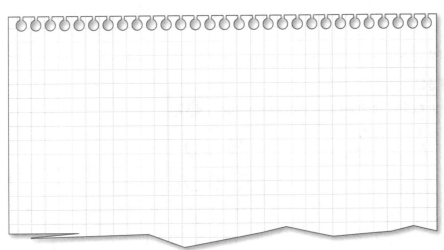

10 Échangez vos messages (activité 9) et présentez la personne à la classe.

11 Dessinez (ou photographiez) la classe et présentez les personnes.

12 Présentez les amis de Quentin Truaud (sur Facebook).

Elle s'appelle Marion Dufour.

───── **Phonétique** ──────────────────────────────────────

Le rythme

13 Écoutez et répétez. Les syllabes sont régulières. 04

a sept

b dix-sept

c cent dix-sept

d six cent dix-sept

e mille six cent dix-sept

f six mille six cent dix-sept

Leçon 2 | **Les mots à lire**

Comprendre

Sons et lettres

1 Écoutez et entourez les lettres que vous entendez.

U V
Z F A
W X O I B
1 J E G T R K Y

M. Pierre

B U
R G A
Y O I V T
E J N Z C Q H
2

Mme Plot

A I
M L O
S T I B F
G V J E P Y U
3

Célestin

2 Associez les personnes (de l'activité 1) et les notes.

a M. Pierre ▉   ▉ **1** 10/10

b Mme Plot ▉   ▉ **2** 8/10

c Célestin ▉   ▉ **3** 4/10

3 Écoutez. Pour chaque étudiant, cochez la bonne salle.

Nom de famille	Salle 1	Salle 2	Salle 3
Goutet			
Gulon			
Lomet			
Lumète			
Martin			
Moulin			
Nivette			
Thromas			
Toulon			

Pour...

→ **Reconnaître des mots français à l'écrit**

Utilisez :
votre langue
une autre langue
le dictionnaire

Les mots...

De la vie courante

le restaurant   l'hôpital
la boulangerie   le bar
la pharmacie   les amis
le café   le rendez-vous

Les mots...

De la ponctuation

« , »   la virgule
« . »   le point
« ? »   le point d'interrogation
« ! »   le point d'exclamation

Vocabulaire

Les mots de la vie courante

4 Formez 4 autres mots avec les syllabes de la liste.

HÔ   BOU   PHAR   RES   CA   TAU   LAN   MA   GE   RIE   CIE   PI   RANT   FÉ   TAL

CA + FÉ = café

....

....

L'alphabet

5 Prononcez les lettres à haute voix et barrez l'intrus.

h – a – ȷ́ – k

a j – i – x – w   **b** f – k – m – s   **c** b – v – g – q   **d** n – d – c – p

6 Écoutez et entourez les lettres que vous entendez. Puis écrivez des mots avec les lettres. 🎧 07
entourées.

i	f	e
l	d	u
n	o	r

è	o	f
é	i	n
d	a	c

u	a	r
s	e	l
t	à	v

h	g	r
j	u	y
t	e	o

a ....   **b** ....   **c** ....   **d** ....

Les accents

7 Entourez les lettres accentuées qui existent en français.

(è)   ì   á   ô   î   û   ò   é   à   ó   â   í   ù   ú   ê

8 Regardez dans votre livre. Pour chaque lettre accentuée entourée (activité 7), trouvez un mot.

é → activités

....

....

Ponctuation et majuscules

9 Recopiez et ajoutez la ponctuation et les majuscules.

a – bonjour je m'appelle irina   ....

   – moi je m'appelle pedro   ....

   – enchantée   ....

b – bonjour à tous comment vous vous appelez   ....

   – je m'appelle juliette   ....

   – moi c'est rémy   ....

c – elle s'appelle fatima   ....

   – non elle s'appelle farida   ....

Les mots à lire

Grammaire

Les marques du genre et du pluriel à l'écrit

10 Classez les mots dans le tableau puis complétez avec d'autres mots.

cinéma – bus – sortie – aéroport – librairie – pâtisserie – magasin – place – rue

Masculin	Féminin
cinéma	....
....	....
....	....

11 Placez les 4 mots suivants dans la colonne 1. Puis transformez au pluriel dans la colonne 2.

chaise – stylo – baguette – ordinateur

1

....

2

....

....

....

....

....

....

....

Grammaire

Les marques du genre et du pluriel à l'écrit

En général, le mot féminin finit par un « e ».
pâtisserie, pharmacie : féminin
bar, restaurant : masculin

En général, le mot pluriel finit par un « s ».
l'enfant : singulier
les enfants : pluriel

texto

12 Entourez les mots masculins et soulignez les mots féminins dans le tableau de l'activité 11.

▌Communiquer

Pour reconnaître des mots français à l'écrit

13 Écoutez et écrivez le mot. 〔08〕

hôpital

a ....

b ....

c ....

d ....

e ....

14 Écoutez la prononciation et répétez. 〔09〕

a TGV

b SNCF

c RATP

d ONU

e UE

f PDG

▌Phonétique

Ponctuation

15 Écoutez et complétez avec la ponctuation : , / . / ? / ! . 〔10〕

a Salut... Tu t'appelles Paul...

b Non... Moi... c'est Laurent...

Sons et lettres

16 Écoutez et écrivez le nom des villes. Quelle ville n'est pas française ? 〔11〕

a ....

b ....

c ....

d ....

e ....

f ....

Leçon 3 | Les mots à écouter

Comprendre

La politesse

1 Écoutez et choisissez les réponses correctes. 🎧 12

a Les personnes sont :

▢ dans une pharmacie.

▢ dans une boulangerie.

▢ dans un café.

▢ dans un cinéma.

b Le client demande :

▢ un sandwich.

▢ un café.

▢ une baguette.

▢ un stylo.

c Le client dit :

▢ Comment allez-vous ?

▢ Salut !

▢ Bonjour.

▢ Bonsoir.

d La vendeuse dit :

▢ Au revoir, monsieur.

▢ Salut.

▢ À bientôt.

▢ Coucou !

2 Corrigez les dialogues.

a – ~~Bonne journée~~ *Bonjour* madame.

– Au revoir monsieur. Un café, merci. ....

– Et voilà, un café.

– S'il vous plaît. ....

b – Salut Aline ! Comment allez-vous ? ....

– Ça va.

c – Au revoir Clément.

– Bonjour Pierre. À bientôt. ....

d – Bonjour madame.

– Bonsoir, une baguette s'il vous plaît. ....

– Voilà, 1 euro.

– Ça va. ....

Pour...

→ **Reconnaître le singulier et le pluriel à l'oral**

Au singulier, en général, on entend « **un** » [ɛ̃] ou « **une** » [yn].
Un exercice, un café, une baguette

Au pluriel, en général, on entend « **des** » [de].
Des exercices, des cafés, des baguettes

Les mots...

De la politesse

s'il vous plaît
merci
ça va / comment allez-vous ?
au revoir – bonne journée

— Vocabulaire —

Les mots de la politesse

3 Écrivez les mots avec *a, e, é, i, î, o, ô, u.*

a bnsr ....

b s'l vs plt ....

c .... rvr ....

d à bntt ....

e ç v ....

f bnn jrn ....

4 Que disent les personnes ? Imaginez.

N° ....

1 ....
....

N° ....

2 ....
....

N° ....

3 ....
....

N° ....

4 ....
....

5 Écoutez et numérotez chaque image pour vérifier vos réponses. 🎧 13

6 Associez.

a Pour dire bonjour ▨	▨ **1** Merci
	▨ **2** Salut
b Pour dire au revoir ▨	▨ **3** Bonjour
	▨ **4** Bonne journée
c Pour demander ▨	▨ **5** À bientôt
	▨ **6** S'il vous plaît
d Pour remercier ▨	▨ **7** Coucou

Dossier 1 Bonjour !
Leçon 3 Les mots à écouter

┃Grammaire

L'article indéfini

7 Écoutez l'exemple et continuez. 14

café (masculin) → un café, des cafés

Les marques du genre à l'oral

8 Écoutez et complétez le tableau. 15

	a	b	c	d	e	f	g	h
J'entends une consonne finale prononcée	✗							
J'entends une voyelle finale prononcée								

9 Écoutez. Écrivez les mots féminins. 15

a → des baguettes

....

┃Communiquer

La politesse

10 Observez les dessins. Quel est le problème ?

Café !

a

b

....
....

---

texto

Grammaire

Les marques du genre et du pluriel à l'oral

Le féminin et le masculin

En général, les mots féminins finissent par une consonne prononcée. baguette / [t] / = féminin

En général, les mots masculins finissent par une voyelle prononcée. café / [e] / = masculin

L'article indéfini

masculin	féminin	pluriel
un	une	des
un café	*une baguette*	*des exercices*

18 **Le singulier et le pluriel**

Prononciation singulier = prononciation pluriel café = cafés = / [kafe] /

11 **Pour chaque situation, écrivez le dialogue et jouez la scène.**

a ....
....
....
....
....

b ....
....
....
....

12 **Découpez les mots. Ajoutez la ponctuation et les majuscules. Puis jouez la scène.**

– bonjourmadameunebaguettesilvousplaît

– voilà

– mercibonnejournée

– aurevoirmonsieuràbientôt

– ....

– ....

– ....

– ....

───┃**Phonétique** ────────────────────────────────

L'accentuation

13 **(À deux). Écoutez et répétez. Criez !**

– Bon**jour** ! Bonjour Mon**sieur** !

– Bon**jour** ! Bonjour Ma**dame** !

– Un ca**fé** ! S'il vous **plaît** !

– Voi**là** ! Deux eu**ros** !

– Mer**ci** !

– Au re**voir** !

– Bonne jour**née** !

Bonjour !
Marek et Clémentine à l'université

1 C'est le premier jour à l'université. Marek, Clémentine et les autres étudiants se présentent. Jouez la scène.

 Adrien

 Julia

 Clémentine

Marek

Piotr

2 Écoutez le dialogue et dites qui fait quoi. **17**

	Saluer	Dire le prénom	Dire le nom	Épeler
Le professeur				
Les étudiants				

3 Écoutez le dialogue et complétez la liste des étudiants.  **17**

Liste des étudiants

Classe : Master Pro   Salle : F204

Professeur : M. Mantin

Clémentine Ar

Marek Rez

Piotr Fa

Julia D

Adrien

4 Dictée ! Écoutez et écrivez. Puis complétez avec *un* ou *une*. 🎧 18

a ....   e ....

b ....   f ....

c ....   g ....

d ....

5 Marek est à la cafétéria. Remettez les mots du dialogue dans l'ordre.

a revoir – au
Au revoir.

b plaît – un – s'il – bonjour – vous – sandwich

....

c merci – journée – bonne – et

....

d euros – plaît – s'il – 4 – vous

....

6 Remettez le dialogue de l'activité 5 dans l'ordre.

1	2	3	4
....	....	....	....

7 Regardez les dessins et écrivez deux dialogues avec les mots.

ça – bonjour – salut – coucou – M. Mantin – bonjour – allez – Marek – comment – Clémentine – vous – bien – merci – Marek – ça va – va

a – ....
– ....
– ....

b – ....
– ....
– ....

8 Observez le dessin a (activité 7) et faites la liste des objets.

....
....

Leçon 5 | **Moi, je suis...**

| Comprendre ————————————————————

La présentation

1 Didier décrit sa famille. Écoutez et cochez la photo correcte.

1

2

3

2 Ils présentent leur famille. Découpez le texte et ajoutez la ponctuation, les accents et les majuscules.

a marcestprofesseurdefrançaisaparisilestmarieavecmarieilsontdeuxfillesellessappellentgabrielleetsimona
gabrielleasixansetsasœurahuitans

....

....

b ellecestlafemmedantoineellesappelleedwigeetelleestarchitecteilsontdeuxenfantsmartineetgabriel

....

....

c jemappellelouetjaiunfrereilsappellecharlieetilaquatreans

....

....

d jesuisjournalisteetjesuismariéeavecfrédericluiilestingénieurnousavonsdeuxfilsetunefille

....

....

Pour...

→ Se présenter
J'ai + âge
J'ai 20 ans.
Je suis + situation de famille
Je suis mariée avec Simon.
Je suis + profession
Je suis architecte.

Les mots...

De la famille
marié(e) (avec) ≠ célibataire
la femme (de) / le mari (de)
le père / la mère
les enfants : le fils, la fille
le frère / la sœur

Des professions
un/une architecte   un/une journaliste
un/une professeur(e)   un/une secrétaire
un/une ingénieur(e)   un/une photographe
un/une étudiant(e)   un/une médecin

texto

Vocabulaire

Les mots de la famille

3 Regardez les photos et complétez avec les mots de la liste.

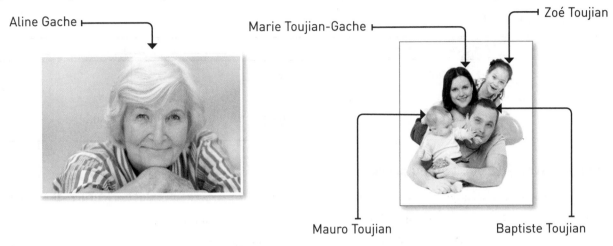

Aline Gache

Marie Toujian-Gache

Zoé Toujian

Mauro Toujian

Baptiste Toujian

~~la sœur~~ – le frère – les enfants – le fils – la mère – la fille – le père – le mari – la femme

Zoé est la sœur de Mauro.

a Baptiste est .... de Marie.

b Aline est .... de Marie.

c Zoé et Mauro sont .... de Baptiste et Marie.

d Mauro est .... de Zoé.

e Baptiste est .... de Zoé et Mauro.

f Marie est .... d'Aline.

g Mauro est .... de Marie et Baptiste.

h Marie est .... de Baptiste.

Les mots des professions

4 Retrouvez les noms des professions.

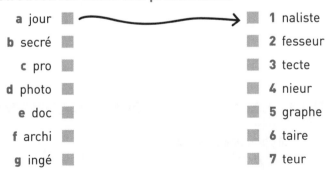

a jour ▨	⟶ ▨	**1** naliste
b secré ▨	▨	**2** fesseur
c pro ▨	▨	**3** tecte
d photo ▨	▨	**4** nieur
e doc ▨	▨	**5** graphe
f archi ▨	▨	**6** taire
g ingé ▨	▨	**7** teur

Leçon 5 | Moi, je suis...

Grammaire

Être et *avoir* au présent

5 Complétez le tableau.

Être		Avoir	
je *suis*	nous	j'*ai*	nous ....
tu	vous............................	tu	vous............................
il/elle............................	ils/elles	il/elle............................	ils/elles ....

6 Complétez avec *être* ou *avoir* au présent.

a Aziz et Natasha .... mariés. Ils .... deux enfants : Meriem et Nicolas.

Meriem .... 8 ans et Nicolas .... 4 ans.

b Laure .... célibataire. Elle .... professeur de français. Elle .... un frère.

c Nadia .... la sœur de Victor. Elle .... étudiante en mathématiques.

d Antoine .... le mari de Laurence. Il .... 42 ans et il .... architecte.

Ils .... trois enfants.

Les pronoms toniques

7 Complétez avec un pronom tonique.

a – *Moi*, je m'appelle Tony et .... ?

– Elle s'appelle Ludivine.

b – ...., c'est le frère de Rose ?

– Oui et ...., c'est la sœur de Paul.

c – ...., ils sont célibataires ?

– Non, ils sont mariés. ...., elles sont célibataires.

d – ...., vous êtes les Dupré ?

– Non, ..., nous sommes les André.

e – J'ai 14 ans et .... ?

– ...., j'ai 12 ans.

Grammaire

Être

je	**suis**
tu	**es**
il/elle	**est**
nous	**sommes**
vous	**êtes**
ils/elles	**sont**

Avoir au présent

j'	**ai**
tu	**as**
il/elle	**a**
nous	**avons**
vous	**avez**
ils/elles	**ont**

Les pronoms toniques

moi
toi
lui/elle
nous
vous
eux/elles

*Juliette ? C'est **elle**.*
*Les Le Tallec ? Ce sont **eux**.*
*Je m'appelle Hugo, et **toi** ?*

texto

24

Communiquer

Pour se présenter

8 Présentez la famille de Stéphane.

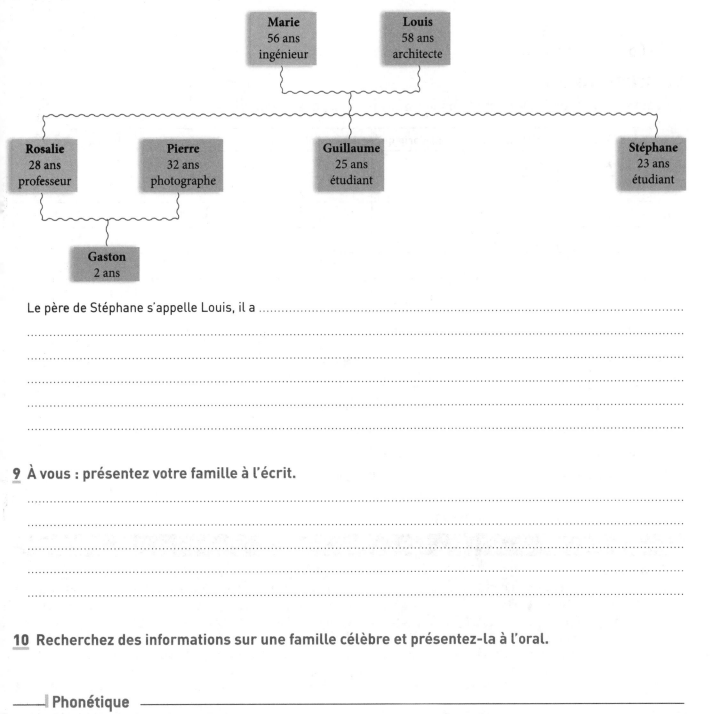

Le père de Stéphane s'appelle Louis, il a ....

....

....

....

....

....

9 À vous : présentez votre famille à l'écrit.

....

....

....

....

....

10 Recherchez des informations sur une famille célèbre et présentez-la à l'oral.

Phonétique

Le mot phonétique

11 Écoutez et répétez les prénoms. Respectez les mots phonétiques.

   a (4 mots phonétiques) : Marie, Christine, Jean et Paul.

   b (3 mots phonétiques) : Marie-Christine, Jean et Paul.

   c (3 mots phonétiques) : Marie, Christine et Jean-Paul.

   d (2 mots phonétiques) : Marie-Christine et Jean-Paul.

Leçon 6 | Mes amis et moi

| Comprendre

La présentation

1 Écoutez et cochez les informations données par les personnes.

	Prénom	Nationalité	Lieu d'origine	Lieu d'habitation	Langues parlées	Date de naissance
a	✗	✗		✗		
b						
c						
d						
e						
f						

2 Associez pour présenter Sandra.

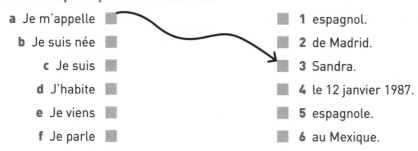

a Je m'appelle ▢	▢ **1** espagnol.
b Je suis née ▢	▢ **2** de Madrid.
c Je suis ▢	▢ **3** Sandra.
d J'habite ▢	▢ **4** le 12 janvier 1987.
e Je viens ▢	▢ **5** espagnole.
f Je parle ▢	▢ **6** au Mexique.

3 Lisez le profil et corrigez le message.

> `Modifier`
>
> **Paola Ancona**
> Date de naissance : 2 novembre 1989   Langues parlées : Italien, français, anglais
> Situation amoureuse : Célibataire   Habite à : Paris
> Profession : Journaliste   Vient de : Rome
>
> @ Je suis née le 2 septembre 1989 à Paris. Je suis mariée. Je suis journaliste et j'habite à Rome. Je parle deux langues.
> ....

Pour...

→ Se présenter

Dire une date :
le + nombre + mois + année
Je suis né le 9 juillet 1961.

Dire les langues parlées :
Je parle + nationalité (masculin)
Je parle anglais.

Dire le lieu d'origine :
Je viens de / d' + ville
Je viens de Berlin.

Dire le lieu d'habitation :
J'habite + à + ville
J'habite à Paris.

Les mots...

Des nationalités

mexicain(e)	japonais(e)
français(e)	philippin(e)
espagnol(e)	polonais(e)
brésilien(ne)	américain(e)
italien(ne)	suisse
allemand(e)	belge
chinois(e)	coréen(ne)

texto

❘Vocabulaire

Les mots des nationalités

4 Écrivez la nationalité des personnes.

a ....

b ....

d ....

c ....
....

e ....
....

Il est américain.

5 Complétez avec les nationalités (au masculin ou au féminin).

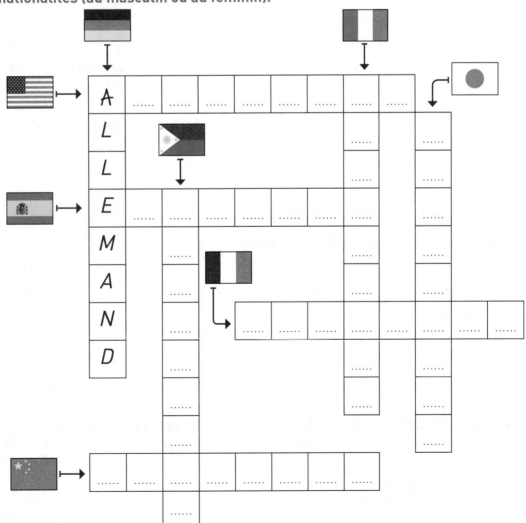

Grammaire

Prépositions + noms de pays et de villes

6 Classez les pays dans le tableau et ajoutez *le*, *la*, *l'* ou *les*.

Italie   États-Unis   France   Irak   Japon   Espagne   Philippines

Mexique   Allemagne   Brésil   Chine   Iran

Pays féminins	Pays masculins	Pays pluriels
L'Italie	....	....
....	....	....
....	....	....
....	....	....

7 Complétez avec *de/d'* ou *à*.

a Il s'appelle Slava, il est russe et il vient .... Moscou.

b Olivier a 38 ans. Il vient .... Angers.

c Claudio est espagnol, il habite .... Séville.

d Kate vient .... Londres. Elle est étudiante.

e Peter habite .... Berlin. Il est allemand.

f Elle s'appelle Lin Feng ; elle vient .... Shanghai.

8 Associez.

Il/Elle habite
- en ▪
- au ▪
- aux ▪

▪ Philippines.
▪ Brésil.
▪ Italie.
▪ Japon.
▪ France.
▪ États-Unis.
▪ Allemagne.
▪ Mexique.
▪ Iran.

Les verbes en –*er* au présent

9 Complétez avec la terminaison correcte.

a – Tu parl.*es*........ anglais ?

– Non, je parl.*e*.......... allemand.

b – Comment vous vous appel.*ez*........ ?

– Je m'appell.*e*.......... Charlotte.

c – Vous habit.*ez*........ où ?

– Nous habit.*ons*...... au Maroc.

d – Tonio parl.*e*.......... chinois !

– Oui, il parl.*e*.......... chinois et japonais.

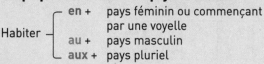

Grammaire

Les prépositions + noms de pays et de villes

Habiter
- **en +** pays féminin ou commençant par une voyelle
- **au +** pays masculin
- **aux +** pays pluriel

J'habite en Belgique/en Irlande.
J'habite au Canada.
J'habite aux États-Unis.

Les verbes en –*er* au présent

Pour conjuguer les verbes en –*er*, on supprime –*er* et on ajoute les terminaisons *e*, *es*, *e*, *ons*, *ez*, *ent*.

Parler

je	parle		nous	parlons	[parlɔ̃]
tu	parles		vous	parlez	[parle]
il/elle	parle	[parl]			
ils/elles	parlent				

___▮ Communiquer _____

Pour se présenter

10 Imaginez : vous êtes une de ces personnes. Présentez-vous.

Nom	Boissier	Aruzza	Cavalli
Prénom	Jean-Marc	Pedro et Irma	Valeria
Date de naissance	19/06/72	Irma : 04/06/75 – Pedro : 18/12/63	30/03/85
Nationalité	française	mexicaine	italienne
Profession	journaliste	acteurs	ingénieure
Lieu d'habitation	France	Mexique	États-Unis
Langue(s) parlée(s)	français et anglais	espagnol	italien et anglais

a Je m'appelle Jean-Marc Boissier *et je suis né le 19/06/72. Je suis française et j'habite à France. Je parle anglais et français, et je suis journaliste.*

b *Bonjour, je m'appelle Irma et c'est mon mari Pedro. Nous parlons espagnol et nous habitons à Mexique. Nous sommes acteurs.*

c *Je m'appelle Valeria Cavalli et je suis italienne. J'habite à États-Unis et je parle italien et anglais. J'ai 36 âge*

11 Complétez la fiche d'un autre étudiant de la classe et présentez-le.

Nom	....	Profession	....
Prénom	....	**Lieu d'origine**	....
Date de naissance	....	**Lieu d'habitation**	....
Nationalité	....	**Langue(s) parlée(s)**	....

___▮ Phonétique _____

Le rythme

12 Écoutez et répétez. Criez ! 22

da da daaa	da da daaa	da da daaa da daaa da da daaa da daaa
Étudiants !	Professeurs !	Nous parlons français ! Nous parlons français !

Leçon 7 | Toi

Comprendre

L'identité et les coordonnées

1 Écoutez la conversation et corrigez la fiche. 23

> Nom : Nalet
> Prénom : Louis
> Âge : 14 ans
> Profession : chercheur
> Fixe : 01 45 67 75 89
> Portable : 06 25 68 17 75
> Email : louisnal @gmail .com

2 Lisez les fiches et complétez le tableau.

Fiche 1

Serge (de Lyon)

Profession : pas de profession
Situation de famille : marié
Téléphone : 04 67 45 76 89

Fiche 2

Pietro (de Paris)

Profession : photographe
Situation de famille : célibataire
Téléphone : 06 45 13 76 81

Fiche 3

Luc (de Nantes)

Profession : secrétaire
Situation de famille : marié, un fils
Téléphone : 02 12 14 40 21

		Serge	Pietro	Luc
a	Il a un enfant.			✗
b	Il habite en France.			
c	Il travaille.			
d	Il a une femme.			
e	Il a un portable.			

3 Observez les documents et complétez la carte.

PARIS

M. Benhamias, 11 rue d'Avron 01 67 46 34 57
Mme Beniro, 43 rue des Orteaux 01 34 56 12 10
M. Benistin, 77 rue du Volga 01 13 24 18 90

BORDEAUX

M. De Michelis, 3 place De Gaulle 05 21 45 76 90
M. Denin, 43 impasse de l'Océan 06 10 56 34 21
Mme Denisot, 421 avenue des Martyrs 05 01 90 89 76

MARSEILLE

M. Tarinet, 26 avenue Pasteur 04 14 15 16 75
Mme Tarinetti, 42 rue Grande 04 22 10 02 04
Mme Tariq-Abdul, 11 place Voltaire 04 61 36 24 58

NANTES

Mme Arthaud, 11 rue Boisse 02 56 71 89 24
M. Artignac, 35 rue des Fossés 02 45 16 87 91
M. Artigust, 72 rue Sainte-Croix................. 02 67 84 56 12

STRASBOURG

Mme Lite, 3 rue Mazarin 03 45 78 98 01
M. Liteu, 12 bis rue de Provence 06 24 87 91 67
M. Lithine, 60 boulevard Galliéni 03 10 45 72 87

Pour...

→ **Poser des questions sur l'identité et les coordonnées**

Votre nom ?
Vous avez quel âge ?
Votre âge ?
Qu'est-ce que vous faites dans la vie ?
Vous travaillez ?

Les mots...

Du contact

appeler = téléphoner
contacter
un rendez-vous

Du téléphone

allô
ne quittez pas !
j'appelle pour...

Des coordonnées

un numéro de téléphone
un fixe
un portable
un mail = un email
@ = arobase

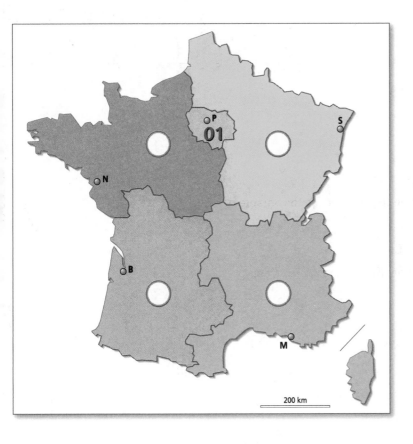

4 Relisez les documents de l'activité 3 et entourez la bonne réponse.

M. Denin et Liteu ont *un téléphone portable* / *un téléphone fixe*.

⫶Vocabulaire

Les mots du contact

5 Complétez les dialogues avec le verbe correct au présent.

travailler – appeler – être – s'appeler – quitter – avoir – faire

a – Allô, M. Hénin ?

– Non, moi, c'est M. Ling. Ne ...quitte... pas.

b – Allô, j'...appele... pour l'annonce.

– Votre nom, s'il vous plaît ?

– Je ...m'appelle... Léon Botero.

c – Qu'est-ce que vous ...faite... dans la vie ?

– Je ...travaille... dans une école.

Je ...suis... professeur.

d – Baptiste, tu ...as... quel âge ?

– 7 ans.

Les mots des coordonnées

6 Associez.

valeriap@gmail.com
■ **a**

une adresse email ■

un fixe ■

un portable ■

une arobase ■

b

c

d

___ Grammaire _____

L'adjectif possessif au singulier

7 Entourez le mot correct.

– *Étienne, c'est ta /* (ton) *prénom ?*
– *Non, c'est ma /* (mon) *nom de famille.*

a – Marseille, c'est votre ville ? – Oui, c'est (ma) / mon ville !

b – Voici *ma /* (mon) email et *ma /* (mon) numéro de fixe. – Merci, je te contacte demain.

c – *Ta /* (Votre) âge s'il vous plaît ? – J'ai 45 ans.

d – C'est (sa) / son femme ? – Oui, elle s'appelle Claire.

e – Tu as *ma /* (mon) numéro de téléphone ? – Non, mais j'ai *ta /* (ton) adresse.

8 Écrivez les réponses.

– *Le portable, il est à toi ?* → *Oui, c'est mon portable.*

a – Le numéro, il est à elle ?   – Oui, ...

b – Le cahier, il est à vous ?   – Oui, ...

c – La chaise, elle est à vous ?   – Oui, ...

d – Le téléphone, il est à moi ?   – Oui, ...

e – La photo, elle est à lui ?   – Oui, ...

9 Écoutez l'exemple et continuez. 24

Un portable / À moi ou à toi ? → *C'est mon portable ou c'est ton portable ?*

___ Communiquer _____

Poser des questions sur l'identité et les coordonnées

10 Retrouvez les questions.

a – <u>Quel est votre nom ?</u> .... ? – Je m'appelle Louis Malard.

b – <u>Comment écrivez-vous votre prénom</u> ... ? – Mon prénom, ça s'écrit L.O.U.I.S.

c – <u>Où travaillez-vous</u> .... ? – Je suis professeur dans une école.

d – <u>Quel est ton e-mail</u> .... ? – Oui, c'est louism75@gmail.com.

e – <u>Quel est ton numéro de téléphone</u> .... ? – C'est le 06 75 81 45 23.

Grammaire

L'adjectif possessif au singulier

masculin	féminin
mon fixe	**ma** femme
ton portable	**ta** femme
son numéro	**sa** femme
votre nom	**votre** adresse

❶ On emploie *mon, ton, son* devant un mot féminin commençant par une voyelle : *mon adresse.*

Appeler ou s'appeler ?

❶ Appeler ≠ s'appeler
J'appelle ≠ je m'appelle

11 Lisez le mail d'Antoine, puis complétez la réponse de Lise avec les mots de la liste et des adjectifs possessifs.

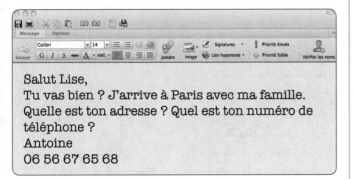

Salut Lise,
Tu vas bien ? J'arrive à Paris avec ma famille. Quelle est ton adresse ? Quel est ton numéro de téléphone ?
Antoine
06 56 67 65 68

adresse – message – femme – numéro – fils

Salut Antoine,

Merci pour ....

Voici .... : 06 15 45 67 21

et .... : 65 bd Brune à Paris.

Bises à .... et à ....

.... !

À demain,

Lise

12 Lisez le mail du responsable de l'école, puis écrivez la réponse.

Objet : Inscription de votre enfant

Bonjour,
Je suis le responsable de l'école Bilingue. Votre rendez-vous pour l'inscription est à 15 h 30. Quel est le prénom de votre enfant ? Il a quel âge ?
Le responsable – Service des inscriptions

– Vous remerciez.
– Vous donnez le prénom et l'âge de votre enfant.
– Vous demandez l'adresse de l'école et le nom du responsable.

Objet : Inscription de votre enfant

Bonjour,

....
....
....
....

▌Phonétique ──────────────────────────

L'intonation

13 À deux, écoutez et répétez. Respectez l'intonation de la question.

– Votre nom ?
– Bennès.
– B ?
– B.
– 2 N ?
– 2 N.
– E accent grave ?
– E accent grave.
– B, E, 2 N, E accent grave, S ?
– B, E, 2 N, E accent grave, S.

1 Écoutez et complétez l'arbre généalogique de Clara avec les prénoms.

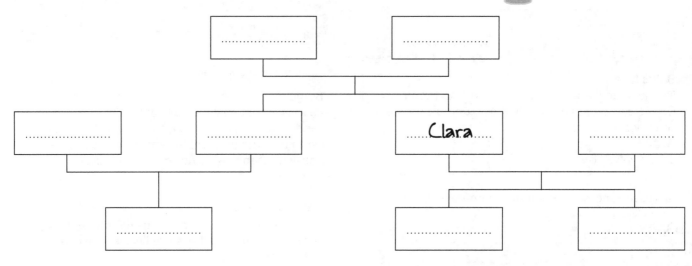

2 Présentez Clara et Simon.

- **Prénom :** Clara
- **Date de naissance :** 15/02/1974
- **Nationalité :** belge
- **Profession :** professeur de mathématiques
- **Situation de famille :** mariée, 2 enfants
- **Lieu d'habitation : Pays :** Belgique
- **Ville :** Bruxelles
- **Langues parlées :** français, espagnol

- **Prénom :** Simon
- **Date de naissance :** 30/04/1972
- **Nationalité :** belge
- **Profession :** ingénieur
- **Situation de famille :** marié, 1 enfant
- **Lieu d'habitation : Pays :** Canada
- **Ville :** Montréal
- **Langues parlées :** français, anglais

Elle s'appelle Clara ....

....

....

....

....

....

....

....

....

3 Posez des questions au mari de Clara.

Comment vous vous appelez ?

....

....

....

....

....

....

Laurent Leroy

architecte

45 ans

laurent.leroy@yahoo.com

4 À l'école, Nicolas dessine sa famille. Complétez avec *mon* ou *ma*.

5 Nicolas a 4 amis étrangers dans sa classe. Présentez-les.

Meghan   Slimane   Kimiko   Franz

Meghan est américaine. Elle parle anglais.

a ....

b ....

c ....

6 Nicolas et l'un de ses amis (activité 5) se présentent et parlent de leur famille. Écrivez le dialogue puis jouez-le devant la classe.

....

....

....

....

....

....

Faits et gestes

1 Choisissez les gestes qu'on utilise en France pour dire « Bonjour ».

2 Complétez avec : *Moi, je m'appelle... – Moi, c'est... – Coucou ! – Bonjour, enchantée.*

Bonjour, enchanté.

.... !

.... , ...

.... , ... Hugo.   .... , ... Juliette.

3 Associez les photos aux personnes.

Culture

4 Lisez les informations p. 23 et regardez la carte de France page 128 du livre. Répondez.

a Quelle ville a 859 368 habitants ? ....

b Quels mots symbolisent la France ?

....

c Qu'est-ce qu'on chante le 14 juillet ?

....

d Dessinez quelque chose qui représente la France.

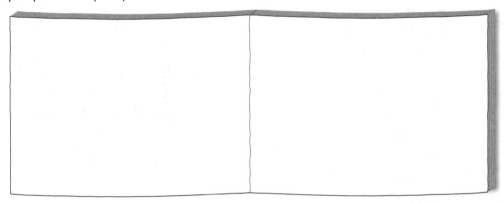

5 Situez et notez Nantes sur la carte de France.

6 Il y a combien d'habitants à Nantes ?

a 300 000 ▨

b 293 234 ▨

c 250 000 ▨

Le lieu unique à Nantes

7 Trouvez trois mots en relation avec Nantes.

....

Leçon 9 **Et pour vous ?**

―**Comprendre**―――――――――――――――――――――――――

Le menu

<u>1</u> Lisez le menu et trouvez les erreurs. Écrivez le menu correct.

Entrées
Salade italienne
~~Steak Chez Philippe~~
Tarte aux pommes
Plats
Saumon grillé
Poulet rôti
Salade au poulet
Desserts
Salade de fruits
Escargots
Mousse au chocolat

Entrées
....
....
....
Plats
.... *Steak Chez Philippe* ....
....
Desserts
....
....
....

La commande au restaurant

<u>2</u> Mettez le dialogue dans l'ordre.

a Quelle cuisson ?

b Oui. Et comme plat ?

c Bonjour madame, qu'est-ce que vous prenez ?

d À point.

e Et comme boisson ?

f Aujourd'hui, c'est le poulet rôti.

g Non, je prends un steak.

h Une carafe d'eau.

i Bonjour, en entrée, je voudrais une salade italienne, s'il vous plaît.

j Quel est le plat du jour ?

1	2	3	4	5	6	7	8	9	10
.....	.....	.....	.....	.....	.....	.....	.....	.....	.....

Pour...

→ **Commander au restaurant**

Le serveur :
– Comme plat du jour, il y a le poulet basquaise.
Le client :
– Un steak frites, s'il vous plaît.
– L'addition, s'il vous plaît !

→ **Poser des questions**
– Qu'est-ce que tu prends ? Le poulet.
– Est-ce que vous prenez du vin ? Oui/Non.

Les mots...

De la restauration

le menu – la carte – le plat
l'addition
une salade
une entrée : les escargots
la viande : le poulet ; un steak
un poisson : le saumon

un dessert : la tarte aux pommes ; la mousse au chocolat
une boisson : une carafe d'eau, un jus de fruit, le vin
le déjeuner – le dîner
le sel – le poivre

3 Écoutez et reconstituez les deux tables. 27

a   b   c   d

Table 1 : dessins ...... et ......   Table 2 : dessins ...... et ......

▮ **Vocabulaire**

Les mots de la restauration

4 Regardez les photos et complétez la grille.

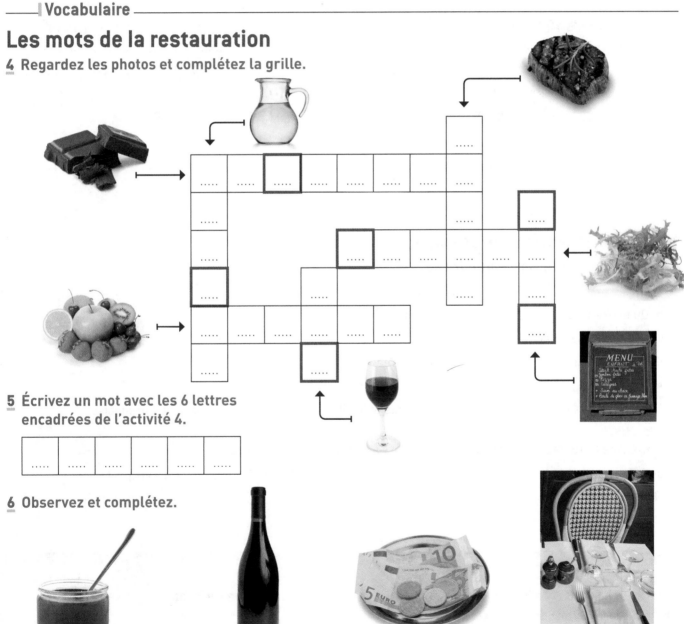

5 Écrivez un mot avec les 6 lettres encadrées de l'activité 4.

.....	.....	.....	.....	.....	.....

6 Observez et complétez.

a   b   c   d

une *mousse au chocolat*   une ....   une ....   une ....

....

___**Grammaire**___

Les articles définis et indéfinis

<u>7</u> Formez des phrases.

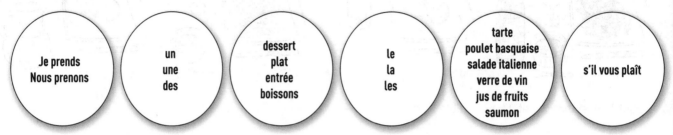

Je prends Nous prenons	un une des	dessert plat entrée boissons	le la les	tarte poulet basquaise salade italienne verre de vin jus de fruits saumon	s'il vous plaît

Je prends un dessert : la tarte, s'il vous plaît.

Nous prenons un plat : la salade italienne, s'il vous plait

Je prends une entrèe : la poulet basquaise, s'il vous plait.

Nous prenons des boissons : les jus de fruits, s'il vous plait

Je prends une entrèe : le saumon, s'il vous plait

Nous prenons des boissons : le verre de vin, s'il vous plait

Le verbe *prendre* au présent

<u>8</u> Complétez avec le verbe *prendre* au présent.

a Vous ....Prenez.......... le plat du jour ?

b Qu'est-ce qu'on ....Prend.......... comme boisson ?

c Les clients de la table 11 ..prennent.......... le menu à 12 euros.

d Est-ce que tu ....Prends.......... une entrée ?

e Nous ....prenons.......... deux steaks sauce échalote.

f Moi, je ....Prends.......... le saumon grillé et lui, il .... le poulet basquaise.

<u>9</u> Imaginez d'autres plats ou boissons pour l'activité 7 et complétez.

Je prends ....un dessert : une part de gâteau.......... s'il vous plaît.

Nous prenons ....des boissons : l'eau.......... s'il vous plaît.

Les articles indéfinis et définis

L'article indéfini permet de généraliser :
un steak, une salade, des steaks.

L'article défini permet de préciser :
le menu, la carte, l'addition, les desserts.

Prendre au présent

je	prends	
tu	prends	[prɑ̃]
il/elle/on	prend	
nous	prenons	
vous	prenez	[prən]
ils/elles	prennent	[prɛn]

texto

10 Écoutez et commandez au restaurant. 28

Dessert / mousse au chocolat → Je voudrais un dessert, la mousse au chocolat, s'il vous plaît.

▌Communiquer —————————————————————————————

Pour commander au restaurant

11 Écrivez le menu pour chaque personne.

> **Menu a**
> Entrée
> ....
> Plat
> ....
> Dessert
> ....

> **Menu b**
> Entrée
> ....
> Plat
> ....
> Dessert
> ....

a

b

12 À partir des menus de l'activité 11, imaginez un dialogue au restaurant entre le serveur/la serveuse et les clients.

– ....
– ....
– ....
– ....
– ....
– ....

Pour poser des questions

13 Entourez la forme correcte.

Qu'est-ce que / (Est-ce que) vous prenez un dessert ?

a *Qu'est-ce que / Est-ce que* vous voulez une salade italienne ?

b *Qu'est-ce que / Est-ce que* tu prends ?

c *Qu'est-ce qu' / Est-ce qu'*il y a au menu ?

d *Qu'est-ce que / Est-ce que* vous prenez un dessert ?

e *Qu'est-ce que / Est-ce que* vous avez comme jus de fruits ?

f *Qu'est-ce qu' / Est-ce qu'*il y a un plat du jour ?

▌Phonétique —————————————————————————————

Les liaisons

14 Lisez. Respectez les liaisons. Écoutez pour vérifiez. 29

a euro	**c** un euro	**e** deux euros
b l'euro	**d** des euros	**f** trois euros

Leçon 10 | À Paris

Comprendre

La description de la ville (Toulouse) et les activités

1 Retrouvez les légendes des photos.

a

b

c

d

a : On pique-nique ▇   ▇ sur la place du Capitole.

.... : On écoute de la musique ▇   ▇ dans les petites rues.

.... : On fait une promenade ▇   ▇ sur les quais de la Garonne.

.... : On retrouve des amis ▇   ▇ dans le jardin des Plantes.

---

texto

Pour...

→ **Décrire une ville**
il y a + **article** + **nom**
À Paris, il y a le fleuve,
les quais, les ponts,
les rues, les avenues.

Les mots...

Des activités

retrouver des amis	faire la fête
écouter de la musique	regarder
découvrir	bronzer
faire une promenade	pique-niquer

De la ville

une rive	un bateau
une place	un jardin
un musée	

De la météo
il fait beau ≠ il pleut
il fait chaud ≠ il fait froid

2 Écoutez et dessinez la photo de Nina.

|Vocabulaire

Les mots de la ville

3 Retrouvez les 8 lieux de la ville.

R	J	A	R	D	I	N
O	L	P	U	K	A	D
V	F	L	E	U	V	E
Q	U	A	I	Q	E	C
T	S	C	P	O	N	T
I	R	E	Z	M	U	A
X	M	U	S	E	E	H

4 Pour chaque lieu, dites quelles activités sont possibles.

a Dans le jardin, *on retrouve des amis, on pique-nique,* ....

b Au cinéma, je regarde une film et mange du pop-corn. ....

c Au musée, on fait une promenade ....

d Sur les quais, retrouver des amis ....

▌Grammaire

Le pluriel des noms

5 Accordez les noms, si nécessaire.

À Toulouse aussi, il y a un fleuve......., la Garonne, avec des rives....... et des pont....... . Le plus vieux s'appelle

le Pont-Neuf. L'été......., sur les quai....... de la Garonne, c'est Toulouse-Plages ! On retrouve des ami.......,

on écoute de la musique..., on danse. Les Toulousain....... aussi font la fête... !

Le pronom *on*

6 Associez.

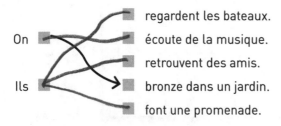

On
Ils

regardent les bateaux.
écoute de la musique.
retrouvent des amis.
bronze dans un jardin.
font une promenade.

Le verbe *faire* au présent

7 Complétez avec le verbe *faire* au présent.

– Qu'est-ce que tu .....fais..... aujourd'hui ?

– Avec Charlotte, on retrouve des amis. Ils .....font..... de la musique dans un bar, place du Capitole.

– Et après, qu'est-ce que vous .....faites..... ?

– Nous .....faisons..... une promenade sur les quais, c'est Toulouse-Plages !

– Ah, oui ! On .....fait..... la fête ! C'est l'été !

▌Communiquer

Pour décrire une ville

8 Regardez le plan de Toulouse et écrivez la brochure touristique.

À Toulouse, il y a des places : la place du Capitole et la place de la Bourse.

On retrouve des amis ....

....

....

....

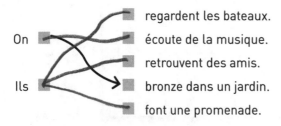

Grammaire

Le pluriel des noms

On ajoute un « s » :
le quai → les quais [kɛ]
un pont → des ponts [pɔ̃]
On ne prononce pas le « s ».
❶ un bateau → des bateaux

Faire au présent

je	fais	
tu	fais	[fɛ]
il/elle/on	fait	
nous	faisons	[fəzɔ̃]
vous	faites	[fet]
ils/elles	font	[fɔ̃]

Le pronom « on »

On = les personnes à Paris (Parisiens, touristes...)
❶ Avec **on**, le verbe se conjugue comme avec « il » ou « elle » : *On **fait** la fête.*

9 **Expliquez quelles activités vous faites le week-end et où.**

Le week-end, je retrouve des amis et on regarde un film au cinéma. ....

Le week-end, je fais le plages.

Le week-end, mon amis et moi on fait une café.

Le week-end, je vais faire les devoirs.

....

| Phonétique ————————————————————————————

Le pluriel

10 **Écoutez. Dites le pluriel. Écoutez pour vérifier.** 🎧 **31**

le fleuve → *les fleuves*

a le quai   **c** le pont   **e** le monument

b la musique   **d** le jardin   **f** l'ami

11 **Écoutez et prononcez les noms des lieux. Trouvez-les sur la carte.** 🎧 **32**

a Le pont des Arts   **f** Le jardin des Tuileries

b Le musée du Louvre   **g** L'Obélisque

c La pyramide du Louvre   **h** Un bateau

d La place de la Concorde

e La Seine

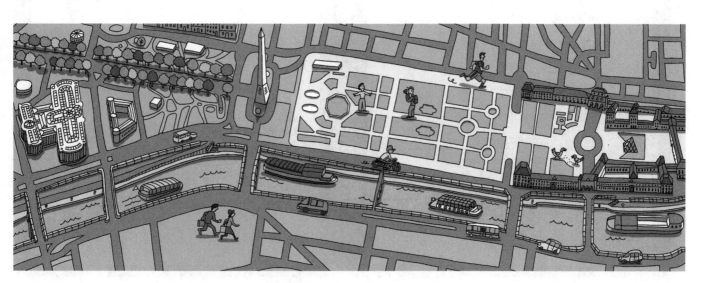

Leçon 11 | **Métro Odéon**

Comprendre

L'heure

1 Écoutez et associez. 33

Situation n°	08:00	09:30	12:00	12:45	14:15	15:00	18:40
	b	*exemple*	d	f	c	e	a

Un agenda

2 Écoutez les dialogues et complétez l'agenda de Benjamin. Écrivez l'activité et le lieu des rendez-vous. 34

Emploi du temps ▼

Samedi

9 h 00 ....

10 h 00 ....

11 h 00 ....

12 h 00 ....

13 h 00 ....

14 h 00 ....

15 h 00 ....

16 h 00 ....

17 h 00 ....

18 h 00 ....

19 h 00 ....

20 h 00 ....

21 h 00 ....

22 h 00 ....

23 h 00 ....

---

texto

46

Pour...

→ Proposer une sortie
Tu fais quoi / Vous faites quoi + jour ?
Ça te dit de / Ça vous dit de + infinitif ?
Tu viens / Vous venez + avec moi / nous ?

→ Dire l'heure
Il **est** + heure
Il est 10 heures

→ Organiser un rendez-vous
– On demande : « **Où** ? »
On répond : « **Chez** Paparazzi, à côté de l'opéra, devant le cinéma. »
– On demande : « **Quand** ? » ;
« **À quelle** heure ? »
On répond : « Aujourd'hui, demain soir, dimanche à 20 heures. »

→ Situer dans l'espace
*On se retrouve **devant** le cinéma.*

Les mots...

De la journée
le matin, le soir, l'après-midi, la nuit, aujourd'hui, demain

Des activités culturelles
voir un film au cinéma, visiter un musée, aller au théâtre, sortir

Vocabulaire

La journée

3 Associez.

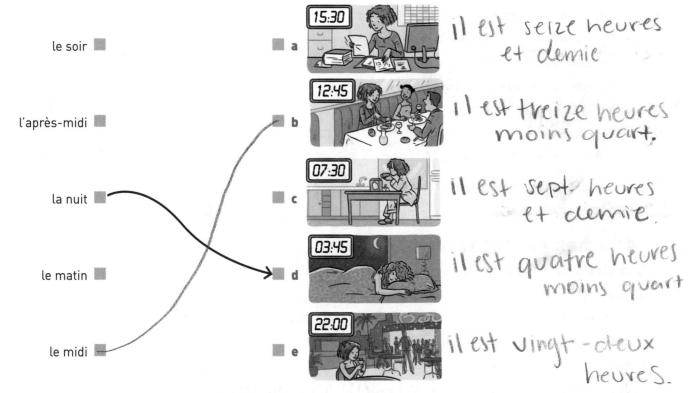

le soir ■

l'après-midi ■

la nuit ■

le matin ■

le midi ■

■ a   *il est seize heures et demie*

■ b   *il est treize heures moins quart,*

■ c   *il est sept heures et demie.*

■ d   *il est quatre heures moins quart*

■ e   *il est vingt-deux heures.*

Les activités culturelles

4 Barrez l'intrus.

a aller *au resto / au théâtre / un musée*

b visiter *une exposition / un film / un musée*

c voir *au cinéma / une exposition / un film*

5 Regardez les images et dites quelle heure il est.

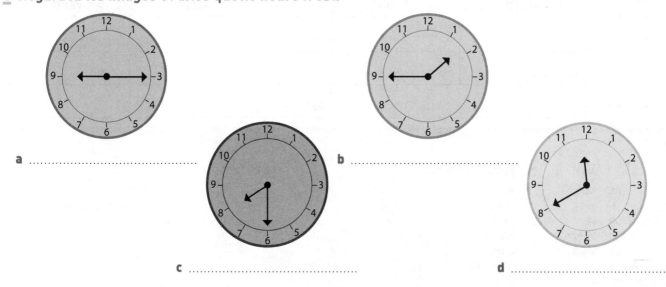

a ....

b ....

c ....

d ....

Grammaire ___ _c - nous n'allons pas._ _____

La négation

6 Répondez négativement.

– Tu habites en France ? – *Non, je n'habite pas en France.*

a – Vous êtes espagnols ? – Non, nous ne sommes pas espagnols.

b – Les musées sont ouverts aujourd'hui ? – Non, vous n'êtes pas ouverts aujourd'hui.

c – Nous allons au théâtre demain ? – Non, vous n'allez pas au théâtre demain.

d – On est vendredi aujourd'hui ? – Non, on n' pas vendredi aujourd'hui.

e – Tu vas à l'université ? – Non, je ne vais pas à l'université.

7 Écoutez et transformez à la forme négative. 🎧 35

J'aime les musées. → *Je n'aime pas les musées.*

Les verbes *aller* et *venir* au présent

8 Complétez avec les verbes *aller* ou *venir* au présent.

a Vous allez où ce soir ?

b Marie et Bénédicte vont au musée ce week-end ?

c Vous venez à quelle heure ?

d Est-ce que nous allons chez Marie et Baptiste ?

e Je vais au ciné avec Franz. Tu viens avec nous ?

9 Associez les réponses aux questions de l'activité 8.

Question b   **1** Oui, elles visitent le Louvre.

Question e   **2** D'accord.

Question d   **3** Non, ils viennent chez nous.

Question c   **4** On vient à huit heures.

Question a   **5** On va dans un petit resto indien, *Le Taj Mahal*.

10 Relisez les phrases de l'activité 8 et complétez le tableau.

	ALLER	VENIR		ALLER	VENIR
je	....	....	nous	....	....
tu	....	....	vous	....	....
il/elle/on	....	....	ils/elles	....	....

Grammaire

	Aller	Venir au présent
je	vais	viens
tu	vas	viens
il/elle/on	va	vient
nous	allons	venons
vous	allez	venez
ils/elles	vont	viennent

La négation

Sujet + **ne** (n') + verbe + **pas**
*Je **ne** connais **pas**.*   *Je n'aime **pas**.*
❶ *Je **ne** veux **pas** venir.*

texto

___▌Communiquer_____

Proposer une sortie et organiser un rendez-vous ; dire l'heure

11 Lisez et complétez les emails de Judith et Pilou. Commencez par le mail 3.

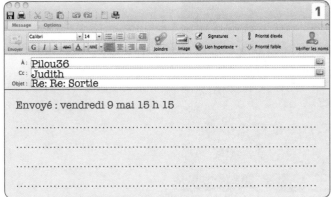

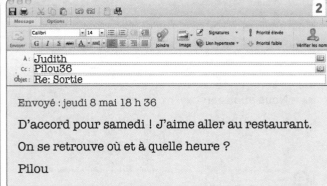

12 Voici votre agenda.
Parlez de vos activités du week-end,
dites les jours et les heures.

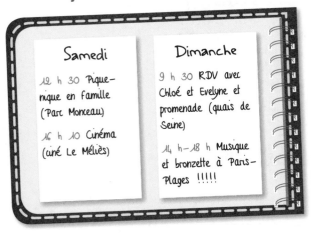

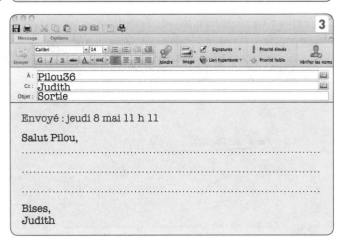

13 Complétez votre agenda du week-end (activité 12) avec deux autres activités. Téléphonez
à un(e) ami(e) pour proposer une sortie. Jouez la scène.

___▌Phonétique_____

Les enchaînements

14 Transformez comme dans l'exemple. Respectez les enchaînements.

une heure → *il est une heure*

a sept heures ....

b huit heures ....

c neuf heures ....

d quatre heures ....

e quatre heures et quart ....

f cinq heures et demie ....

Sorties
La sortie de M. et Mme Trublion

1 Écrivez le SMS de Mme Trublion à M. Trublion pour proposer une sortie au restaurant. Précisez le lieu et l'heure du rendez-vous.

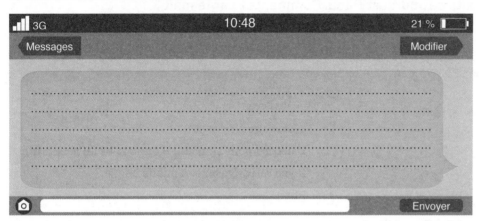

2 Écrivez la réponse de M. Trublion.

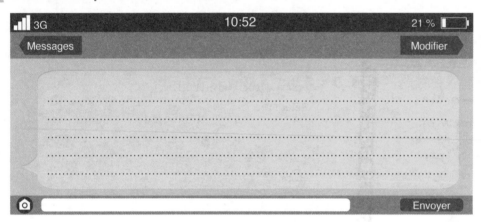

3 Aidez M. et Mme Trublion à choisir un restaurant.

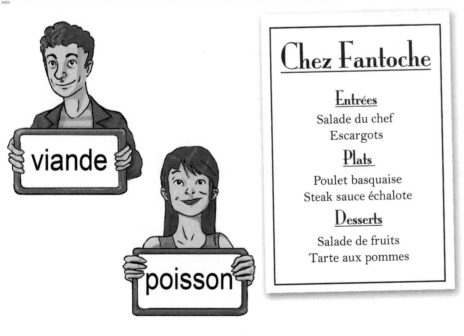

Chez Fantoche

Entrées
Salade du chef
Escargots

Plats
Poulet basquaise
Steak sauce échalote

Desserts
Salade de fruits
Tarte aux pommes

La bonne table

Entrées
Escargots
Salade

Plats
Saumon grillé
Poulet rôti
Steak frites

Desserts
Mousse au chocolat
Tarte aux pommes

M. et Mme Trublion choisissent ....
....

texto

4 Écoutez et notez la commande de M. et Mme Trublion.

5 Écoutez et cochez les activités de M. et Mme Trublion après le restaurant.

Table n° 4

a ▢

b ▢

c ▢

d ▢

6 Il est 22 h. M. et Mme Trublion vont dans un café. Répondez aux questions.

a Comment s'appelle le café ? ....
....

b Où se trouve le café ? ....
....

c La semaine, le café ouvre à quelle heure le matin ?
....

d Est-ce que le café est ouvert le dimanche ?
....

7 M. et Mme Trublion commandent au café. Imaginez le dialogue entre M. et Mme Trublion et le serveur.

Leçon 13 | Ça vous plaît ?

| Comprendre

Les vêtements

<u>1</u> Écoutez et cochez les informations pour chaque dialogue.

			Dialogue 1	Dialogue 2	Dialogue 3
a	Quel vêtement ?	Un pantalon noir			X
		Un pantalon gris		X	
		Une veste noire	X		
b	Quelle taille ?	36			X
		38		X	
		40	X		
c	Quel prix ?	59 €		X	
		69 €	X		
		79 €			X
d	Quel moyen de paiement ?	Carte bancaire		X	
		Chèque	X		
		Liquide			X

| Vocabulaire

Les achats dans un magasin

<u>2</u> Complétez avec les mots de la liste.

magasin – rayon – taille – carte

– Je cherche cette jupe en bleu.

– Quelle est votre ...taille........................ ?

– 38.

– Vous voulez l'essayer ?

– Oui. Et pour payer ?

– Les caisses sont à l'entrée du ...magasin........... ,
derrière le ...rayon.................. enfants.

– On peut payer par ...carte................... ?

– Oui, bien sûr !

Pour...

→ **Acheter dans un magasin**

Le client/La cliente :
Je cherche une veste.
C'est combien ?
En liquide, par carte,
par chèque.

La vendeuse/Le vendeur :
Quelle est votre taille ?
Voulez-vous l'essayer ?
Vous payez comment ?

Les mots...

De l'intensité

un peu/très/trop + adjectif
Un peu grande ?
Trop chère ?

Des vêtements
une veste
une cravate
un pantalon/un jean
une chemise
une robe
des chaussures
porter
la taille

3 Écrivez le moyen de paiement sous chaque photo.

a _la carte_

b _la chèque_

c _la liquide_

Les mots de l'intensité

4 Décrivez la veste avec *un peu*, *très* ou *trop*.

a

b

c

a _La veste est un trop grand_

b _La veste est un peu petit_

c _La veste est très petit_

5 À vous : dessinez les situations contraires (activité 4) avec l'adjectif *grand*.

___| Grammaire _____

L'adjectif interrogatif « quel »

6 Complétez avec *quel*, *quelle*, *quels* ou *quelles*.

– Bonjour, je peux vous aider ?

– Oui, *quelles* .... couleurs vous avez pour cette jupe ?

– Noir, blanc, marron ou rouge.

– Je voudrais l'essayer en rouge.

– *quelle* .... est votre taille ?

– 40. Je cherche aussi une veste.

– *quel* .... style ?

– *quels* .... styles vous avez ?

– Classique pour travailler ou élégante pour sortir le soir.

– Classique, c'est pour travailler.

– *quelle* .... couleur ?

– Noir.

Les adjectifs démonstratifs

7 Entourez l'adjectif démonstratif correct.

a Je voudrais essayer *cette* / *cet* jupe, s'il vous plaît.

b Vous avez *ce* / *cette* pantalon en vert ?

c *Cette* / *Ces* chaussures sont trop petites.

d Le jaune est à la mode *cette* / *cet* été.

e *Ce* / *Cet* style ne me plaît pas.

f Combien coûtent *ces* / *cette* chaussures ?

g J'achète *ce* / *cette* jean et *ce* / *cette* cravate.

L'inversion sujet-verbe

8 Écrivez les questions avec l'inversion du sujet.

a Vous voulez essayer cette robe ?

Voulez-vous essayer cette robe ?

b Vous payez comment ?

Comment payez-vous ?

c Vous avez cette cravate en noir ?

Avez-vous cette cravate en noir ?

d Quel genre de veste vous voulez ?

Quel genre de veste voulez-vous ?

----- ▮ Communiquer -----

Pour acheter dans un magasin

9 Choisissez des vêtements pour Manon et Olivier et présentez-les à la classe.

10 Choisissez un personnage (activité 9) et imaginez le dialogue pour acheter ces vêtements dans un magasin.

Elle porte une robe rouge et des chaussures noires.
Il porte un pantalons noirs et une chemise orange et des chaussures noires

----- ▮ Phonétique -----

Le son [œ]

11 Écoutez. Transformez comme dans l'exemple. 🎧 40

J'ai un manteau bleu. → *Un manteau bleu !*

a J'ai une veste bleue.

b J'ai deux vestes bleues.

c J'ai vingt-deux robes.

d J'ai vingt-deux robes bleues.

e J'ai deux cravates roses.

f J'ai deux tee-shirts roses et bleus.

Leçon 14 | Qu'est-ce qu'on mange ?

| Comprendre

Une recette

1 Écoutez la recette et entourez les ingrédients. (Attention ! Ils ne sont pas tous sur le dessin)

2 Lisez et complétez avec les étiquettes.

| Nom du plat : | Conseil gourmand : | Préparation : | Ingrédients : | Temps de cuisson : | Temps de préparation : |

~~Nom du Plat~~ *Saumon aux tomates et aux herbes*

~~temps de prép~~ 5 minutes

~~temps de cuisson~~ 20 minutes

~~ingrédients~~

300 grammes de saumon
1 oignon
1 cuillère à café d'herbes
2 gousses d'ail
4 tomates
sel, poivre

~~Préparation~~

– Coupez et faites cuire l'oignon dans une poêle.
– Épluchez et coupez les tomates en morceaux.
– Ajoutez les tomates coupées et une gousse d'ail.
– Salez, poivrez, remuez et faites cuire 5 minutes.
– Versez une cuillère à café d'herbes.
– Ajoutez le saumon et laissez cuire 15 minutes.

~~Conseil Gourmand~~

– Servez bien chaud avec un bon vin blanc.

Pour...

→ Indiquer une quantité

1, 2, 3... + ingrédient : *cinq tomates*
200 grammes, 1 kilo... + **de (d'*)** + ingrédient : *700 g de veau*
Une cuillère/un verre/une bouteille/une gousse + **de (d')** + ingrédient : *2 cuillères d'herbes*
un peu/beaucoup + **de (d'*)** + ingrédient : *un peu de sel*

*d' + voyelle ou « h »

Les mots...

La cuisine

Les ingrédients : une tomate, une courgette, un oignon, de l'ail, des herbes de Provence, l'huile

Les ustensiles : la cocotte, la poêle, le moule, la cuillère, le four

Des actions : éplucher, couper en morceaux, verser, ajouter, faire cuire, continuer la cuisson, servir

texto

3 Choisissez la photo du plat de l'activité 2.

a ▪

b ▪

c ▪

▍**Vocabulaire**

Les mots de la cuisine

4 Barrez l'intrus pour retrouver la recette. Les actions sont dans l'ordre de la recette.

a *Versez /* ~~Épluchez~~ *les pommes.*

b ~~Coupez~~ */ Servez les pommes en morceaux.*

c *Laissez cuire /* ~~Versez~~ *deux verres d'eau dans une casserole.*

d *Faites cuire /* ~~Ajoutez~~ *les pommes et le sucre.*

e ~~Faites cuire~~ */ Coupez 15 minutes et* ~~servez~~ */ faites dorer froid.*

5 Entourez la photo du plat de l'activité 4.

a

b

c

6 Complétez les dessins avec les verbes.

éplucher – servir – couper – verser – ajouter – faire cuire

a *éplucher*

b *couper*

c *verser*

d *ajouter*

e *faire cuire*

f *servir*

Leçon 14 | Qu'est-ce qu'on mange ?

_____ **Grammaire** _____

7 Complétez avec *de*, *d'* ou Ø.

a 2 kilos .... courgettes

b un verre .... eau

c une bouteille .... jus de fruits

d 4 .... oignons

e un peu .... poivre

f une cuillère à café .... huile

g 300 grammes .... veau

h une gousse .... ail

L'impératif

8 Transformez selon les modèles.

a Ajoutez le sucre. → *Ajoute le sucre.*

b Poivrez les courgettes. → *Poivre les courgettes*

c Épluchez les pommes. → *Épluche les pommes*

d Coupez les oignons. → *Coupe les oignons*

e Épluche les légumes. → *Épluchez les légumes.*

f Sale les tomates. → *Salez les tomates*

g Ajoute la viande. → *Ajoutez la viande*

h Verse l'eau. → *Versez l'eau*

_____ **Communiquer** _____

Pour indiquer une quantité

9 Associez pour former des phrases correctes et prononcez-les.

	une bouteille de	huile.
	8	sel.
Je voudrais	350 grammes de	viande.
	un peu de	vin.
	une cuillère d'	ail.
	deux gousses d'	tomates.

10 Écrivez d'autres phrases sur le même modèle (activité 9).

a Je voudrais *3 bouteilles de vin rouge*

b Je voudrais *5 concombres*

c Je voudrais *1 bouquet de persil*

L'impératif

On utilise l'impératif pour dire à quelqu'un de faire quelque chose.

~~vous~~	versez	ajoutez	coupez	faites
~~tu~~	verse~~s~~	ajoute	coupe	fais

Pour cuisiner

11 Observez la photo et imaginez la recette.

OMELETTE AUX LÉGUMES

Temps de préparation : *5 minutes*

Temps de cuisson : *10 minutes*

Ingrédients (pour 4 personnes) :
- *3 oeufs*
- *1 tomate*
- *10 grammes de oignons verts*
- *1 gousse d'ail*
- *Sel et poivre au goût*

Préparation :

1. Fouetter les oeufs dans un petit bol avec du sel et du poivre.
2. Verser les oeufs dans une poêle chaude et cuire 2 minutes.
3. Ajouter la tomate et d'ail. faire cuire 3 minutes
4. Plier l'omelette sur elle-même. Servir chaud et garnir d'oignons verts.

12 Entourez 3 ingrédients du tableau et ajoutez un ingrédient surprise. Avec les 4 ingrédients, imaginez et présentez une recette.

⟨banane⟩	vin	poulet	courgette
saumon	eau	oignon	⟨chocolat⟩
huile d'olive	sel	poivre	herbes de Provence
⟨crème Chantilly⟩	ail	tomate	?

Pâtisserie

| Phonétique

L'élision

13 Écoutez et transformez comme dans l'exemple.

l'oignon → un peu d'oignon

a l'ail → ....

b le sel → ....

c l'eau → ....

d le poivre → ....

e l'huile → ....

Leçon 15 | Au marché

Comprendre

La liste des courses

1 Écoutez et corrigez la liste de courses.

1 kilo de pommes de terre ✓ ....

300 g de carottes ✗ 500 g ....

5 kg d'oranges ✗ 1 kilo ....

500 g de tomates ✗ ....

3 fraises ✗ 1 kilo ....

200 g de raisin ✗ 500 g. ....

Les courses

2 Remettez le dialogue dans l'ordre.

.7. **a** – Voilà, c'est tout ?

.2. **b** – Oui, bonjour. Je voudrais des carottes, s'il vous plaît.

.9. **c** – Pas de cerises aujourd'hui.

.1. **d** – Bonjour monsieur, c'est à vous ?

.3. **e** – Combien ?

.11. **f** – 4,95 €.

.5. **g** – Avec ça ?

.6. **h** – 500 g de haricots verts.

.8. **i** – Non, je voudrais des cerises.

.10. **j** – Alors c'est tout. Je vous dois combien ?

.4. **k** – 1 kg.

Pour...

→ **Faire les courses**

Je voudrais des tomates.

Je veux du potiron.

Vous avez des courgettes ?

Ça fait combien ? / Je vous dois combien ?

Les mots...

Des magasins
la boulangerie
la boucherie
la poissonnerie
le fromager
le primeur

Du marché
un poireau
une salade
des haricots verts
une carotte
une pomme de terre

une fraise
une banane
une orange
du raisin
le lait
les œufs
le pain

texto

❙**Vocabulaire**

Les mots des magasins

3 Complétez avec les noms des magasins.

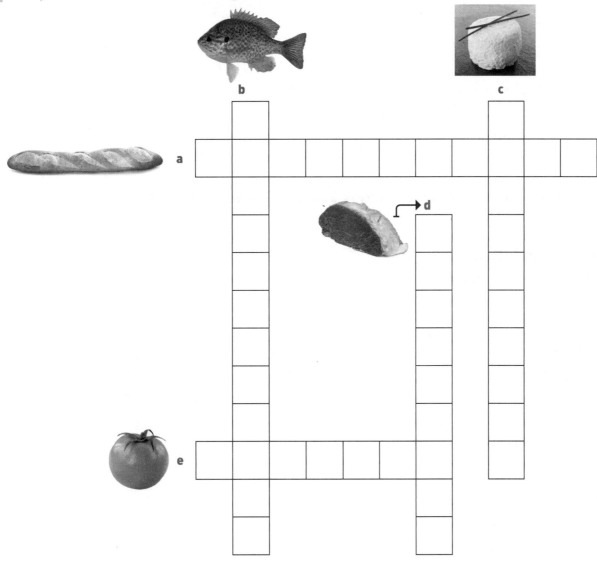

Les mots du marché

4 Écrivez les noms des fruits et légumes.

a un légume et deux fruits de couleur rouge : *une tomate* ....

b deux légumes et deux fruits de couleur verte : ....

c deux légumes et un fruit de couleur orange : ....

d deux fruits de couleur jaune : ....

| Grammaire

Vouloir au présent

5 Complétez avec le verbe *vouloir* au présent.

  a Il ....*veut*.... un verre d'eau.

  b Tu ....*veux*.... du poulet ou du poisson ?

  c Elles ....*veulent*.... une salade et 500 grammes de carottes.

  d Nous ....*voulons*.... une bouteille de vin rouge.

  e Je ....*veux*.... de la salade.

  f Vous ....*voulez*.... combien de pommes de terre ?

6 Prononcez puis entourez les verbes de l'activité 5 avec une prononciation identique.

Les articles partitifs

7 Complétez avec *du*, *de la*, *des*, *de l'*, *de* ou *d'*.

✳ Homework!

Dialogue a

  – Je voudrais *de la* salade.

  – Oui, bien sûr, combien ?

  – Deux grosses salades, s'il vous plaît.

  – Vous avez *des* poires ?

  – Non, désolé, nous n'avons pas *de* poires.

  – Alors, 2 kilos *de* pommes, s'il vous plaît.

Dialogue b

  – Qu'est-ce tu prends comme boisson ? J'ai .... café.

  – Tu as .... eau ou .... jus de fruits ?

  – Oui, bien sûr. J'ai .... jus d'orange.

  – D'accord ; un verre .... jus d'orange, s'il te plaît.

voilà / c'est / ça

8 Complétez avec *voilà*, *c'est* ou *ça*.

  – Bonjour, ... à vous ?

  – Oui, ... à moi. Un kilo d'oignons, s'il vous plaît.

  – .... Et avec .... ?

  – .... tout. .... fait combien ?

  – 1,90 euro.

  – .... 2 euros.

  – Merci.

Grammaire

	Vouloir	Pouvoir
je/tu	veux	peux
il/elle/on	veut	peut
ils/elles	veulent	peuvent
nous	voulons	pouvons
vous	voulez	pouvez

❶ le conditionnel de politesse :
je voudrais

Les présentatifs

c'est/voilà	ça
C'est à moi !	Avec **ça** ?
Voilà des pommes	**Ça** fait combien ?

L' expression de la quantité

Les articles partitifs

– On connaît la quantité exacte
  (cf. leçon 14) : 1, 2, 3... + produit
  1 kg/500 g/1 morceau... + de/d' + produit

– On ne connaît pas la quantité :
  du potiron (**de l'**argent)
  de la salade (**de l'**eau)
  des tomates (**des** oranges)

– La quantité 0 :
  pas + **de/d'** + produit
  *Il n'y a **pas de** courgette.*

texto

┃Communiquer ───────────────────────────────

Pour faire les courses

<u>9</u> Imaginez un menu de Saint-Valentin.

MENU

Entrée : ....

Plat : ....

Dessert : ....

<u>10</u> Préparez la liste des courses (à partir du menu de l'activité 9) et indiquez les quantités pour deux personnes.

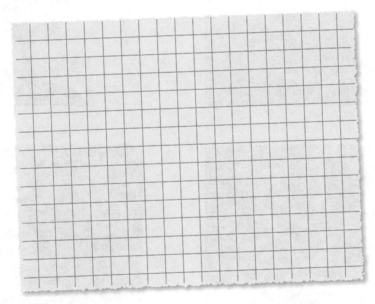

<u>11</u> Achetez vos ingrédients (activités 9 et 10) : imaginez les dialogues chez les commerçants.

┃Phonétique ───────────────────────────────

Le son [œ] – Le son [E]

<u>12</u> Écoutez et transformez comme dans l'exemple. 44

Tu veux des courgettes ? → Oui, des courgettes, deux.

a Tu veux des pommes ?

b Tu veux des fraises ?

c Tu veux des tomates ?

d Tu veux des carottes ?

e Tu veux des oranges ?

f Tu veux des pommes de terre ?

1 Les amis de Marie ne mangent pas de viande. Aidez Marie à choisir le menu correct.

MENU 1

Salade de tomates

Moules frites

Tarte aux fraises

MENU 2

Poireaux vinaigrette

Magret de canard

Salade de fruits

MENU 3

Soupe de pommes
de terre

Veau à la provençale

Mousse au chocolat

2 Marie fait les courses. Cochez les magasins où elle va (d'après le menu choisi dans l'activité 1).

a

c

b

d

3 Écoutez et dites quel dialogue correspond aux courses de Marie. 🎧45

Dialogue : ....

4 Imaginez le dialogue à la poissonnerie.

5 Marie veut préparer des moules frites. Elle téléphone à un ami. Écoutez et notez la recette.

MOULES FRITES

Ingrédients pour
4 personnes

Préparation

.... 1. ....

.... 2. ....

.... 3. ....

.... 4. ....

....

6 Retrouvez Marie et ses amis.

Kamel a un pantalon vert,
une chemise orange
et des chaussures noires.

Louis a un pantalon bleu,
une chemise blanche
et des chaussures bleues.

Pauline a une jupe verte,
un tee-shirt jaune
et des chaussures noires.

a Pauline   **b** Louis   **c** Marie   **d** Kamel

7 Comment est habillée Marie (activité 6) ?

....

....

Faits et gestes

1 Mettez les photos dans l'ordre d'un repas au restaurant et notez un mot pour chaque photo.

→ *4 steak frites*   → ....   → ....   → ....

→ ....   → ....   → ....   → ....

2 Vous êtes Hugo. Qu'est-ce que vous dites ?

....
....

....
....

Culture

3 Associez chaque objet à un lieu parisien.

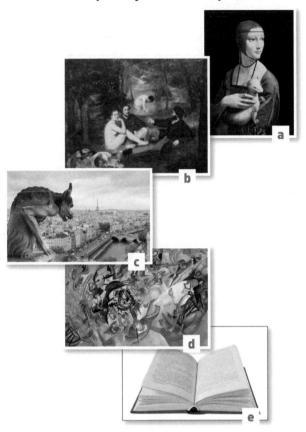

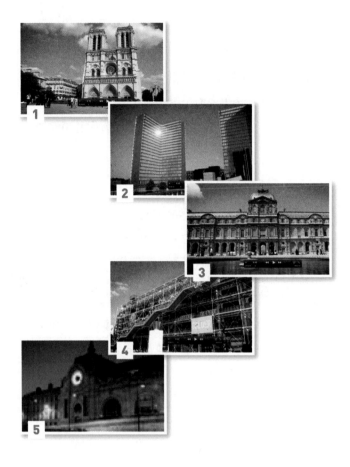

4 Associez les profils à une affiche.

a Étienne a 40 ans. Il est ingénieur et habite le centre d'une grande ville. Il est célibataire et mange souvent au restaurant.

b Emma a 22 ans. Elle est étudiante et habite à Nantes. Elle a peu de temps.

c Céline a 32 ans. Elle a un enfant de 18 mois. Elle aime cuisiner.

d Charlotte est sportive et mange beaucoup.

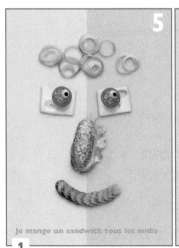

Je mange un sandwich tous les midis

1

Je ne cuisine pas

2

J'ai toujours faim

3

Je prépare à manger pour ma famille

4

Leçon 17 | Et une comédie ?

Comprendre

Un commentaire positif/négatif

1 Cochez la bonne réponse.

	Commentaire positif	Commentaire négatif
a Les comédies, c'est sympa.	▣	▣
b Les drames, c'est ennuyeux.	▣	▣
c Les films d'action, c'est pas mal.	▣	▣
d Les films français, c'est bien.	▣	▣

Une proposition de sortie

2 Écoutez et choisissez les réponses correctes.

a Théo propose une sortie à Nina.

▣ Vrai   ▣ Faux

b Nina et Pierre vont voir :

▣ un film d'action français en couleurs.

▣ une comédie française en noir et blanc.

▣ une comédie américaine en noir et blanc.

c Théo préfère :

▣ les films en noir et blanc.   ▣ les nouveaux films.

▣ les films en couleurs.   ▣ les films d'action.

▣ les vieux films.   ▣ les comédies.

d Théo va aller au cinéma avec Nina et Pierre.

▣ Vrai   ▣ Faux

Pour...

→ Faire un commentaire positif/négatif

C'est pas mal. = C'est bien.
C'est sympa.
C'est (un peu) ennuyeux.

→ S'informer sur les goûts de quelqu'un

Tu n'aimes pas les films d'action ?

→ Parler de nos goûts

Je préfère les vieux films.
J'aime bien.
Si, **mais** je préfère les films français.

→ Situer une action dans le futur

Après, on va voir *Intouchables*.

___ |Vocabulaire _____

Les mots du cinéma

3 Retrouvez l'expression équivalente (=) ou contraire (≠).

Je n'aime pas les <u>films tristes</u>. = *les drames*

a C'est un film <u>en couleurs</u>. ≠ ....

b On va <u>au cinéma</u> ce soir ? = ...

c J'aime <u>les vieux films</u>. ≠ ....

d Il est <u>pas mal</u> ce film. = ...

4 Complétez le dialogue avec les mots suivants : *nouveau, comédie, français, voir, séance, cinéma.*

– Je vais au .... avec Tony ce soir, ça te dit ?

– Vous allez .... quel film ?

– Le .... film de Woody Allen.

– C'est un film .... ?

– Non, c'est un film américain. Woody Allen est américain !

– C'est un film d'action ?

– Non, c'est une ....

– Bonne idée ! À quelle heure ?

– À la .... de 20 heures.

– D'accord !

Les mots des activités quotidiennes et des loisirs

5 Associez les activités et les lieux.

a On se promène ■

b On boit un verre ■

c On se couche ■

d On voit un film ■

e On visite ■

f On danse ■

■ **1** un musée.

■ **2** au cinéma.

■ **3** dans une discothèque.

■ **4** dans un jardin.

■ **5** à la maison.

■ **6** dans un bar.

6 Classez les activités suivantes dans le tableau : *se lever, se coucher, boire un verre, aller au cinéma, prendre le petit déjeuner, regarder un film.*

Le matin		Le soir	
....	....	....	....
....	....	....	....

Les mots...

Du cinéma

voir un film
le nouveau (*James Bond*)
aller voir + le nom du film
les films d'action, français
une comédie, un drame
les nouveaux, les vieux films
la séance (de 22 h)

Des loisirs

aller au cinéma
se promener
boire un verre

Des activités quotidiennes

se lever ≠ se coucher

Grammaire

La réponse à une question négative

7 Complétez avec *oui*, *non* ou *si*.

a – Tu écoutes beaucoup de musique ?

– .... , je n'aime pas la musique.

b – Paul n'aime pas les films d'action ?

– .... , mais il préfère les comédies.

c – Aurélia ne vient pas au restaurant avec nous ?

– .... , elle est avec des amis.

d – Tu n'aimes pas le cinéma ?

– .... , j'adore le cinéma.

e – On va boire un verre ?

– .... , c'est une bonne idée.

f – Amina regarde un film ?

– .... , elle regarde *Intouchables*.

Le futur proche

8 Complétez avec le verbe souligné au futur proche.

En général, je <u>dîne</u> à la maison, mais, ce soir, *je vais dîner* au restaurant.

a L'été, mes parents <u>vont</u> en Espagne, mais cet été, ils ...*vont aller*........... au Maroc.

b Aujourd'hui, tu <u>bois</u> un verre avec Benoît, mais demain, avec qui tu ...*vais boire*........ un verre ?

c Ce soir, Claire <u>va</u> au cinéma, mais samedi soir, elle ...*va aller*......... au théâtre.

d Nous <u>regardons</u> des films d'action, mais aujourd'hui, nous ...*allons regarder*...une comédie.

e Le week-end, vous <u>faites</u> une promenade sur les quais, mais ce week-end, où est-ce que vous ...*vous allez faire*... une promenade ?

f Ce midi, je <u>mange</u> chez moi, mais ce soir, je ...*vais manger*.... chez des amis.

Les verbes pronominaux

9 Associez.

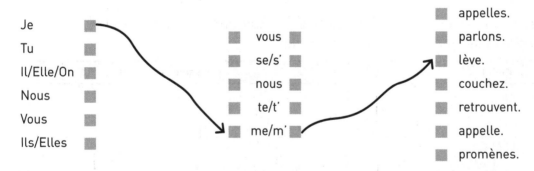

Je					appelles.
Tu		vous			parlons.
Il/Elle/On		se/s'			lève.
Nous		nous			couchez.
Vous		te/t'			retrouvent.
Ils/Elles		me/m'			appelle.
					promènes.

Grammaire

La réponse à une question négative

Pour répondre à une question négative, il faut dire « si » à la place de « oui ».
– Tu n'aimes pas les films d'action ?
– Si, (mais je préfère les films français).

Le futur proche

On utilise le futur proche pour parler d'une action dans le futur.
Verbe **aller** conjugué au présent + **infinitif**
On **va voir** *Intouchables*.

Les verbes pronominaux

Les verbes pronominaux ont deux pronoms.

Se lever au présent

Je	me	lève	
Tu	te	lèves	[lɛv]
Il/Elle/On	se	lève	
Ils/Elles	se	lèvent	
Nous	nous	levons	[ləvɔ̃]
Vous	vous	levez	[ləve]

je m' + verbe commençant par une voyelle :
je m'appelle, tu t'appelles, il/elle s'appelle

▏Communiquer

Pour s'informer et parler des goûts

10 **Mettez les mots dans le bon ordre et posez les questions à un autre étudiant.**

a le aimez vous cinéma ?

....

b comédies les préférez les d'action vous ou films ?

....

c visitez des vous musées souvent ?

....

d n' musique de écoutez vous pas beaucoup ?

....

e à vous la allez discothèque ?

....

f allez au vous restaurant beaucoup ?

....

Pour faire un commentaire positif/négatif

11 **Dites ce que vous pensez :**

a des vieux films en noir et blanc.

b des drames.

c des films d'action.

d des comédies.

e des films français.

f des films de votre pays.

12 **Lisez le message, puis écrivez la réponse.**

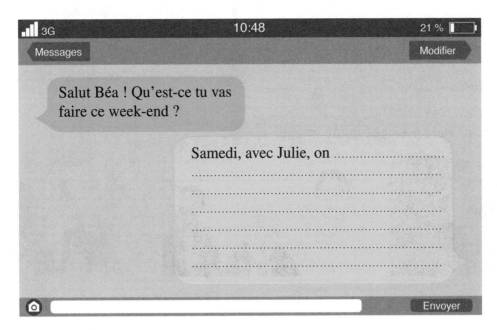

▏Phonétique

13 **Écoutez et trouvez la bonne phrase.** 🎧 48

a J'vais faire les courses. ....

b J'me promène. ....

c J'm'appelle Hugo. *phrase 1*

d J'suis français. ....

e J'sais pas. ....

f J'préfère les films. ....

Leçon 18 | # Personnalités

┤Comprendre ├

La description physique

1 **Lisez l'annonce et répondez aux questions.**

a Le magasin Vêt'mode recherche des personnes pour :

  ▧ faire des vêtements.

  ▧ tourner un film.

  ▧ faire des photographies.

b Qui peut participer ?

  ▧ Antoine (75 ans, mince)

  ▧ Habib (22 ans, 1 m 65)

  ▧ Francesca (69 ans, mince)

  ▧ Umberto (25 ans, 1 m 93)

c Pour répondre à l'annonce :

  ▧ on écrit un mail à M. Herblin.

  ▧ on téléphone à M. Herblin.

  ▧ on écrit une lettre à M. Herblin.

> **Annonce N° 65723**
>
> Magasin de vêtements recherche deux personnes pour photos de mode :
> • un jeune homme (20-30 ans), petit avec les cheveux châtains.
> • un homme âgé (65 ans), taille moyenne, cheveux gris, mince.
>
> ------------------------------------
>
> Contact : 06 52 12 20 18 avant 20 heures
> **M. Herblin**
> **Vêt'mode**
> **Allée de l'Espoir**
> **36000 Châteauroux**

2 **Écoutez. Associez chaque dialogue à une image.** 49

a N° ...3...　　　**b** N° ...1...　　　**c** N° ...2...

3 **Identifiez et entourez la personne décrite (activité 2).**

---

texto

72

Pour...

➔ **Décrire quelqu'un**

Il/elle est + adjectif/profession :
Il est grand ; **elle est** élégante ; **elle est** actrice.
C'est un/une + nom/profession + adjectif :
C'est une femme élégante ; **c'est une** actrice élégante.
Il/Elle a + les cheveux/yeux + couleur
Il/Elle a + âge : **Il a** 35 ans

Les mots...

La description physique

être : jeune ≠ âgé(e) ;
petit(e) ≠ grand(e) ; mince ≠ rond(e)
beau (belle) / élégant(e) ≠ laid(e)
brun(e) ≠ blond(e)
avoir les cheveux :
bruns ≠ blonds ≠ châtain ≠ gris ≠ blancs

▮Vocabulaire

Le corps

4 Entourez les 10 parties du corps.

B	R	A	S	P	W	E	Z
A	J	C	K	I	E	Y	P
C	A	R	T	E	T	E	O
H	M	F	A	D	D	U	I
E	B	E	F	F	V	X	T
V	E	S	M	A	I	N	R
E	R	S	H	G	I	X	I
U	V	E	N	T	R	E	N
X	S	S	I	J	J	W	E

5 Notez les 10 parties du corps (activité 4) sur la photo.

a ....

b ....

c ....

d ....

e ....

f ....

g ....

h ....

i ....

j ....

La description physique et le caractère

6 Écoutez l'exemple et transformez.

Il est intelligent ? / stupide → Non, il n'est pas intelligent. Il est stupide.

▮**Les mots...**▮

Du corps
la tête,
les cheveux,
la main, le bras,
la jambe, le pied,
les fesses, le ventre,
la poitrine, les yeux

Du caractère
être : sympathique (sympa),
modeste, agréable ≠ désagréable,
joyeux (joyeuse), heureux (heureuse) ≠ triste,
courageux (courageuse)
sérieux (sérieuse), intelligent(e) ≠ bête, stupide

Grammaire

Les adjectifs possessifs au pluriel

7 **Complétez avec un adjectif possessif.**

– .... femme et moi, nous avons deux filles. Bénédicte a 8 ans, c'est une petite fille toujours joyeuse.

.... passion, c'est le cinéma. .... acteurs préférés sont Brad Pitt et Matt Damon. ....

deuxième fille a 14 ans. Éva adore le sport. .... deux enfants sont vraiment agréables. À l'école,

.... amis les adorent. .... mère et moi, nous sommes très heureux ! Et toi, ... enfants

s'appellent comment ?

– .... enfants s'appellent Clélie et Jean.

Place et accord de l'adjectif

8 **Complétez les phrases avec les adjectifs de la liste. Faites les accords.**

grand – chinois – jeune – bleu – grillé – bon – brésilien – petit

a Nos amis habitent dans une .... maison .... de 200 m^2.

b Miam ! Un .... saumon .... ! Bon appétit !

c *Le Pékin Express* est un .... restaurant ....

d Ces trois .... femmes .... sont très sympathiques.

Communiquer

Pour décrire quelqu'un

9 **Complétez avec *c'est* ou *il/elle est*.**

Ce sont mes parents sur cette photo. Ici, ... Benoît, mon père. Il a 35 ans et .... journaliste.

Là, ... ma mère, Fatima. Une femme sympathique et courageuse. Elle est professeur. .... belle,

non ? Et là, ... moi avec mon frère, Jules. .... étudiant. Et là, ... un ami américain :

Rafael. .... très intelligent.

Grammaire

Les adjectifs possessifs au pluriel

Féminin = masculin
- **mes, tes, ses**
  mes personnalités préférées, **tes** amis, **ses** enfants
- **nos, vos, leurs**
  nos amis, **vos** personnalités préférées, **leurs** films
- Rappel : au singulier : mon, ton, son, ma, ta, sa, notre, votre, leur (cf. leçon 7 p. 33). Ma personnalité préférée, leur film.

Place et accord de l'adjectif
- **L'adjectif** qualifie le nom ; il se place après le nom. C'est un homme **élégant**.
- ❶ Jeune, bon et beau se placent avant le nom. Un **bel** homme
- Au féminin, on ajoute un « e » à l'adjectif. Il est grand. → Elle est gran**de**. On ne prononce pas le « e » mais on prononce **la consonne**.
- ❶ Quand l'adjectif masculin finit par un « e », l'adjectif féminin ne change pas. Il est jeune. → Elle est jeune.
- ❶ bon → bonne ; beau → belle ; courageux → courageuse
- Au pluriel, on ajoute « s » à l'adjectif. Ils sont élégants. → Elles sont élégantes. On ne prononce pas le « s ».

texto

10 Choisissez une personne de votre famille et entourez cinq adjectifs qui la caractérisent. Complétez avec deux autres adjectifs de votre choix.

élégant   mince   intelligent

triste   sympathique   âgé   beau

blond   laid

grand   bête   désagréable   sérieux

jeune   rond   modeste

courageux   châtain   brun   petit   ....

11 Avec les adjectifs de l'activité 10, décrivez la personne de votre famille (le physique, le caractère).

Il/Elle s'appelle ....

....

12 Deux femmes parlent de leur physique et de leur caractère. Observez les photos puis imaginez les paroles et utilisez un maximum d'adjectifs positifs ou négatifs.

a Moi, je suis belle, ... ,

.... , ... ,

.... , ...

et modeste !

b Moi, je suis laide, ... ,

.... , ... ,

.... , ...

et stupide !

──▮ **Phonétique** ──────────────────────────

13 Lisez le texte. Transformez le texte au féminin.

Dominique est un homme âgé. Il est grand et mince. Il est beau et élégant. Il a les cheveux gris.

Dominique est une femme...

14 Écoutez pour vérifier.

75

Leçon 19 | Le livre du jour

| Comprendre ────────────────────

Le passé, le présent, le futur

1 Écoutez et choisissez. 52

	Situation passée	Situation présente	Situation future
a		✗ *je cherche*	
b			
c			
d			
e			
f			

Le résumé d'un livre

2 Lisez le résumé du livre et complétez le tableau.

	Qui ?	En quelle année ?
Se rencontrer	*Pierre, Alain, Caroline, Nathalie*	*en 1998*
Se marier		
Se quitter		
Se retrouver		

Un hiver à Marseille

Adeline Touche

Pierre et Alain sont frères. Caroline et Nathalie sont sœurs. Ils sont tous nés le 2 janvier 1980, Pierre et Alain à Nice, Caroline et Nathalie à Lille. Ils se rencontrent à Paris, à l'université. Ils ont 18 ans. À la fin de leurs études, cinq ans après, ils se sont mariés : Pierre avec Nathalie, Alain avec Caroline. Puis ils se sont séparés : Pierre et Nathalie en 2007, Alain et Caroline, deux ans après. Et puis… surprise ! Pierre et Caroline se sont mariés en 2010, Alain et Nathalie un an après. Deux ans après, ils se retrouvent tous pour la première fois dans une maison à Marseille pour fêter Noël avec leurs douze enfants…

---

texto

Pour...

→ Situer dans le temps

En + année : **en** 1980
En + mois + année : **en** août (19)95
X ans **après** : 5 ans **après**
À la fin de + adjectif possessif + nom : **à la fin** de ses études
D'abord…, **puis**…, **enfin**… : Il est **d'abord** parti en Afrique, **puis** en Asie. **Enfin**, il est rentré en France.

Les mots...

De la relation amoureuse

une histoire d'amour
se rencontrer
s'aimer
se quitter
se marier
se retrouver

❘Vocabulaire

Les mots de la relation amoureuse

3 Retrouvez les verbes de la relation amoureuse.

4 Classez les verbes de l'activité 3 dans le tableau.

☺
....
....
....
....
☹
....
....
....
....

5 Corrigez le texte quand c'est nécessaire.

Amina et Philippe se sont ~~aimés~~ *rencontrés*  en 2005 à Paris.

a Ils se sont rencontrés ....  en 2006,

b puis ils se sont retrouvés ....  en 2007.

c Un jour, ils se sont quittés ....  dans un restaurant à Toulouse ;

d ils se sont mariés ....  pour la deuxième fois un an après.

Grammaire

Le participe passé

6 **Mettez les verbes au participe passé et classez-les dans le tableau.**

aller – prendre – être – devenir – quitter – choisir – avoir – venir – habiter – vouloir – plaire – rencontrer

« é »	« i » – « is »	« u »
allé	....	....
....	....	....
....	....	....
....	....	....
....	....	....

Le passé composé pour raconter

7 **Conjuguez les verbes entre parenthèses au passé composé.**

a Chloé .... Bourges en 2004. (quitter)

b Simon et Marie .... une belle maison. (louer)

c Tu .... mon ami Vincent ? (rencontrer)

d Victor et Benjamin .... à midi. (arriver)

e Stéphanie et Coralie .... 30 ans hier. (avoir)

f Madame, vous .... architecte en quelle année ? (devenir)

g Je .... dans un bar pour boire un verre. (sortir)

h Je .... le bus pour aller à l'école. (prendre)

8 **Écoutez l'exemple et continuez.**

Aujourd'hui, je mange au restaurant. / Hier aussi, j'ai mangé au restaurant.

Grammaire

Le passé composé pour raconter

• avoir au présent + participe passé

Louer au passé composé

j'ai loué	nous avons loué
tu as loué	vous avez loué
il/elle/on a loué	ils/elles ont loué

• être au présent + participe passé pour les verbes pronominaux et venir, devenir, aller, rentrer, rester, arriver, partir, entrer, sortir, monter, descendre, passer, tomber, naître, mourir

• **Le participe passé :**
verbes en « er » → « é » : quitter → quitté
• autres verbes → « i », « is », « u »
choisir → choisi ; prendre → pris
devenir → devenu
❶ être → été   avoir → eu [y]   faire → fait

| Communiquer

Situer dans le temps

9 Observez la bande dessinée et racontez la vie amoureuse du couple. Utilisez les verbes *s'aimer*, *se rencontrer*, *se marier*, *se quitter*, *se retrouver* et les expressions de temps.

Hervé et Lina se sont rencontrés en

....

....

....

....

....

....

....

....

10 Dessinez et imaginez la suite
de l'histoire de Lina et Hervé (activité 9).

....

....

....

....

....

11 Hier, vous avez passé la journée avec votre célébrité préférée. Racontez.

Hier, d'abord, je ....

Puis ....

Enfin, ...

| Phonétique

[i] – [y] – [u]

12 Écoutez et écrivez « i » quand vous entendez [i], « u » quand vous entendez [y]
et « ou » quand vous entendez [u].

Anouk a rencontré Arth.....r à la fin de ses ét.....des. Il n'a pas v.....l..... part.....r avec elle en Afr.....que.

Aujourd'hu....., elle est reven.....e à T.....l.....se. Elle a rendez-v.....s avec Arth.....r. Elle a chois..... une jol.....e robe
et elle a pr.....s le b.....s.

Rencontres
Greg et Cloé ont rendez-vous

1 Lisez les SMS de Greg et Cloé et cochez les réponses correctes.

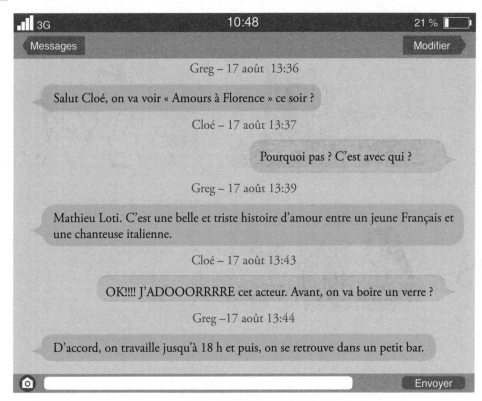

.ıll 3G   10:48   21 % ▭

Messages   Modifier

Greg – 17 août 13:36

Salut Cloé, on va voir « Amours à Florence » ce soir ?

Cloé – 17 août 13:37

Pourquoi pas ? C'est avec qui ?

Greg – 17 août 13:39

Mathieu Loti. C'est une belle et triste histoire d'amour entre un jeune Français et une chanteuse italienne.

Cloé – 17 août 13:43

OK!!!! J'ADOOORRRRE cet acteur. Avant, on va boire un verre ?

Greg –17 août 13:44

D'accord, on travaille jusqu'à 18 h et puis, on se retrouve dans un petit bar.

Envoyer

a Greg propose à Cloé :
- ▨ un concert de musique classique.
- ▨ une soirée au cinéma.
- ▨ un voyage dans un pays européen.

b *Amours à Florence* est :
- ▨ un drame.
- ▨ une chanson.
- ▨ un film d'action.

c Écrivez les activités de Greg et Cloé dans l'ordre chronologique.
  1 ....
  2 ....
  3 ....

2 Écoutez et cochez l'image qui correspond. 55

Au bar, Greg et Cloé parle du film *Amours à Florence*.

a ▨   **b** ▨   **c** ▨

3 Écoutez et complétez le tableau. 56

Dans *Amours à Florence*,		
	il/elle aime	il/elle n'aime pas
Greg	....	....
Cloé	....	....

4 Répondez : Quelle est la proposition de sortie de la semaine prochaine ?

Greg : ....

Cloé : ....

5 Greg et Cloé parlent de leurs préférences. Jouez le dialogue.

GREG
Acteurs préférés : Jean Dujardin, Omar Sy
Actrice préférée : Marion Cotillard
Films préférés : *Intouchables, La môme*

CLOÉ
Acteur préféré : Gérard Depardieu
Actrices préférées : Audrey Tautou, Catherine Deneuve
Film préféré : *Amélie Poulain*

6 Cloé est rentrée chez elle après le cinéma. Elle écrit dans son journal personnel. Complétez.

16 août

Journée désagréable : aujourd'hui, j'ai pris le bus pour aller au travail mais je suis tombée dans la rue. Puis, après mon travail, je suis rentrée chez moi et je me suis couchée à 21 h.

17 août

Belle journée : ....

....

....

....

....

....

....

....

7 Greg est rentré chez lui. Amir, un ami, lui téléphone. À l'oral, répondez à ses questions.

AMIR : Salut Greg ! Ça va ?

GREG : ...

AMIR : Qu'est-ce que tu as fait aujourd'hui ?

GREG : ...

AMIR : C'est qui Cloé ?

GREG : ...

AMIR : Elle est comment ?

GREG : ...

AMIR : Et vous avez vu quel film ?

GREG : ...

AMIR : C'est un bon film ?

GREG : ...

AMIR : Et ton amie, Cloé, elle n'a pas aimé ?

GREG : ...

AMIR : Et Cloé, tu vas la revoir bientôt ?

GREG : ...

Leçon 21 # Le lycée, c'est fini !

│ Comprendre

Un événement en relation avec les études

1 Écoutez et choisissez vrai ou faux. 57

		Vrai	Faux
a	Camille et Fred sont étudiants.	■	■
b	Ils vont passer des examens.	■	■
c	Camille a raté une matière.	■	■
d	Fred a réussi une matière.	■	■
e	Camille et Fred vont repasser des examens en septembre.	■	■
f	Fred a voyagé en Amérique du Sud il y a un an.	■	■

2 Lisez et corrigez les informations du schéma.

Baptiste est arrivé à Paris en 2003. Pendant 3 ans, il a étudié à l'université. Il a obtenu une Licence de portugais en 2006 puis il a décidé de voyager au Brésil pendant 6 mois. Quand il est rentré en France, il a travaillé comme serveur dans un restaurant puis il a passé un examen pour devenir traducteur de français-portugais. Il a réussi l'examen et aujourd'hui, il travaille à l'ambassade du Portugal en France.

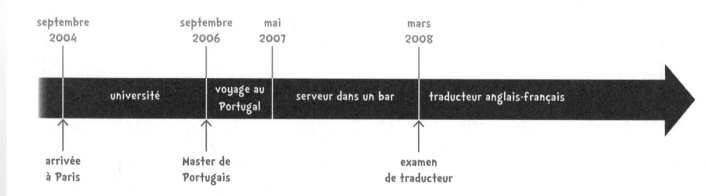

septembre 2004 — septembre 2006 — mai 2007 — mars 2008

université | voyage au Portugal | serveur dans un bar | traducteur anglais-français

arrivée à Paris | Master de Portugais | examen de traducteur

---

texto

Pour...

→ **Raconter un événement**
Je n'*ai* pas *eu* la moyenne.

→ **Situer une action dans le passé**
Hier, je suis allée au secrétariat.
Tu as raté tes examens, *il y a longtemps*.

Pour...

→ **Exprimer la durée**
Pendant les vacances / trois mois.

→ **Exprimer la surprise**
C'est pas vrai !

→ **Dire la discipline et le niveau**
Je suis *en* Licence de Lettres.

3 Lisez et complétez le schéma.

Marta est une étudiante colombienne qui étudie à Lyon. Elle est arrivée en France en 2009 et elle s'est inscrite à la faculté de médecine de Lyon. Malheureusement, elle n'a pas réussi les examens de première année. Elle a arrêté ses études en mai 2010 puis, pendant 2 ans, elle a travaillé dans une pharmacie de Lyon. Pendant l'été 2011, elle est rentrée dans son pays pour se marier. Aujourd'hui, elle est en première année de biologie.

❙Vocabulaire

Les mots des études

4 Associez.

Rater ▨

Réussir ▨   ▨ un cours

Suivre ▨   ▨ un examen

Passer ▨

Réviser ▨

5 Quelles expressions de l'activité 4 correspondent aux images ?

a ....   b ....   c ....

6 Complétez avec *lycée*, *semestre*, *Licence*, *matières*, *Master* et *fac*.

a Les élèves de 15 à 18 ans vont au ....

b Après, ils peuvent étudier à la ....

c Trois années à l'université, c'est la ....

d La sociologie, l'économie sont des ....

e D'octobre à janvier, c'est le premier ....

f Cinq années à l'université, c'est le ....

Les mots...

Des études

un relevé de notes	la fac (la faculté)	(re)passer (un examen)
un semestre	être à l'université	rater ≠ réussir
une matière	une Licence	travailler
un cours	un Master	suivre (un cours)
le lycée	réviser un examen	avoir la moyenne

Leçon 21 | Le lycée, c'est fini !

---| **Grammaire** |--

Le passé composé

7 **Remettez les mots dans l'ordre.**

a le sont dans pas se promenées elles parc ne ....

b t' après es le couché tu dîner ....

c se et 22 h Marie quittés à sont Pierre ....

d me sortir suis habillé je pour ....

e retrouvés nous le sommes devant nous cinéma ....

f vous pas levés vous tôt ne êtes ....

8 **Complétez le dialogue avec les verbes au passé composé.**

– Salut Madeleine. Alors ? *Tu as réussi* (réussir) ton semestre ?

– Oui, je .... (aller) à la fac cet après-midi et j'............................... (voir) mes résultats.

Je suis très contente parce que j'............................... (réussir) toutes les matières.

– Félicitations ! Tu .... (bien travailler) cette année ! Tu .... (sortir)

avec tes amis pour fêter les résultats ?

– Non, j'............................... (retrouver) ma mère et nous .... (se promener)

près de l'université. Et toi, tu .... (voir) tes notes ?

–Oui, j' .... (rater) deux matières sur cinq. Je suis triste mais c'est normal :

je .... (ne pas se préparer) pour l'examen. Cet été, je vais beaucoup travailler.

La négation au passé composé

9 **Complétez avec la forme négative.**

Non, *il n'est pas venu avec Claire*, il est venu avec Sophie.

a Non, je .... à 8 h, je me suis levé à 7 h.

b Non, elle .... avec Sylvain, elle s'est promenée avec Romain.

c Non, vous .... jeudi, vous avez travaillé mercredi.

d Non, ils .... au cinéma, ils se sont retrouvés au café.

e Non, nous .... à 23 h, nous nous sommes quittés à 22 h.

f Non, tu .... en cours le matin, tu es allé en cours l'après-midi.

Grammaire

Le passé composé

Le passé composé est utilisé pour raconter un événement
(une action) passé, terminé et limité dans le temps.
« J'ai réussi deux Ématières. »
Avec les verbes pronominaux, on utilise l'auxiliaire *être*.
Avec l'auxiliaire *être*, le participe passé s'accorde avec le sujet.
« Je ne me suis pas promenée. »   « Vous vous êtes promenés ? »

La négation au passé composé

Ne et **pas** se placent autour de l'auxiliaire.
Tu as travaillé. → Tu n'**as** **pas** travaillé.
Je me suis promené. → Je **ne** me suis **pas** promené.

❙ Communiquer

Pour raconter un événement

10 Emeline a reçu son relevé de notes. Imaginez le dialogue avec sa mère et/ou son père sur ses résultats.

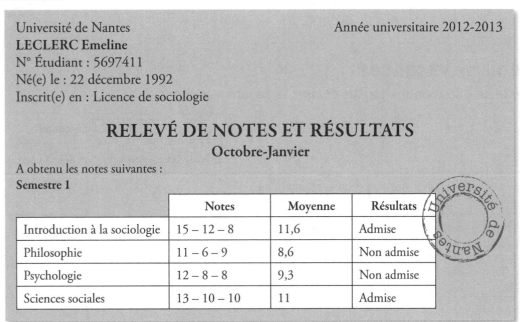

Université de Nantes   Année universitaire 2012-2013
LECLERC Emeline
N° Étudiant : 5697411
Né(e) le : 22 décembre 1992
Inscrit(e) en : Licence de sociologie

RELEVÉ DE NOTES ET RÉSULTATS
Octobre-Janvier

A obtenu les notes suivantes :
Semestre 1

	Notes	Moyenne	Résultats
Introduction à la sociologie	15 – 12 – 8	11,6	Admise
Philosophie	11 – 6 – 9	8,6	Non admise
Psychologie	12 – 8 – 8	9,3	Non admise
Sciences sociales	13 – 10 – 10	11	Admise

11 Vous avez passé un examen important. Hier, vous êtes allé(e) à l'université pour voir les résultats. Écrivez un mail à vos parents pour raconter la journée avec les verbes de la liste.

fêter – aller à la fac – réussir – se coucher – se promener – regarder – téléphoner – se lever

Chers papa et maman,

....

....

....

Bises,

....

❙ Phonétique

[ã] – [ɛ̃]

12 Écoutez et transformez comme dans l'exemple. 🎧58

Ils sont trente ou cinq ? → *Pas trente, cinq !*

a Ils sont trente ou quinze ?

b Ils sont quarante ou vingt ?

c Ils sont soixante ou quatre-vingts ?

d Ils sont cent ou un ?

e Ils sont soixante-dix ou quatre-vingt-dix ?

f Ils sont cinquante ou cinquante et un ?

Leçon 22 | **Les vacances**

| Comprendre

Un souvenir de vacances

1 Lisez le texte et, pour chaque partie, cochez la réponse correcte.

		La personne	
		raconte un souvenir	décrit une situation passée
a	Quand j'étais enfant, l'été, nous partions en vacances chez mes grands-parents.	✗	
b	Toute la famille se retrouvait dans leur grande maison à la campagne, près de Nantes.		
c	Il y avait mes oncles, mes tantes, mes cousins et mes cousines.		
d	Nous étions 18 !		
e	Nous faisions des promenades, des jeux.		
f	Deux fois par semaine, nous allions à la mer.		
g	C'était bien !		

La fréquence

2 Écoutez et cochez pour indiquer la fréquence de l'activité. 59

	une fois par semaine	deux fois par semaine	une fois par an	deux fois par an
	✗			
a				
b				
c				
d				

texto

| **Pour...**

→ **Raconter un souvenir**
On *avait* du mal à dormir.

→ **Indiquer la chronologie**
Après la baignade, nous déjeunions.
Avant le déjeuner, nous nous baignions.

→ **Indiquer la fréquence**
Deux fois par jour / par semaine / par mois / par an.

Les mots...

Des moyens de transport
le train (le TGV), le bateau, la voiture, l'avion, le vélo

Des types d'hébergement
la location (le gîte), l'hôtel, le camping

Des lieux
la mer, la campagne, la montagne, la ville

Des activités

la baignade,
se baigner ;
la promenade,
se promener ;
la marche,
marcher,
la visite, visiter

┃Vocabulaire

Les mots des moyens de transport, des types d'hébergement et des lieux

3 Associez les personnes et les photos.

Mathieu : Quand j'étais enfant, on partait en vacances à la mer. Le voyage en voiture était long ! On faisait du camping.

Clara : Nous, on allait à la montagne. On prenait le train et on habitait dans un gîte.

Flavia : Mes parents préféraient visiter des grandes villes d'Europe. On prenait l'avion et on allait à l'hôtel.

a

b

c

d

e

f

	Photos
Mathieu	....
Clara	....
Flavia	....

Les mots des activités

4 Retrouvez les activités de vacances et écrivez le verbe correspondant à chaque activité.

a La b _ _ _ _ _ _ e → ....

b La p _ _ _ _ _ _ _ e → ....

c La m _ _ _ _ e → ....

d La v _ _ _ _ e → ....

---- **Grammaire** ----

L'imparfait

5 Reliez puis prononcez.

Je ■	■ [vulɛ] ■	■ Nous
Tu ■	■ [vuljɔ̃] ■	■ Vous
Il/Elle/On ■	■ [vulje] ■	■ Ils/Elles

6 Complétez avec les verbes à l'imparfait.

a Quand tu .... (être) jeune, tu .... (faire) du sport ?

b L'été, nous .... (aller) en vacances à la montagne, c'........................ (être) bien !

c Mes parents .... (travailler) en été, alors je .... (partir) en vacances chez mes grands-parents.

d Où est-ce que vous .... (aller) à l'école quand vous .... (être) petits ?

e Après le déjeuner, on .... (se promener) ou on .... (lire).

f Au restaurant, mon frère .... (prendre) toujours une glace et moi, je .... (manger) une crêpe.

La chronologie

7 Transformez les phrases et utilisez *avant* ou *après*.

D'abord on se baignait, ensuite on déjeunait.
→ *Avant le déjeuner, on se baignait.*

a D'abord on dînait, ensuite on faisait une promenade dans la ville.

→ Après ....

b D'abord on déjeunait, ensuite on marchait dans la montagne.

→ Après ....

c D'abord on faisait une sieste, ensuite on se promenait.

→ Avant ....

d D'abord on visitait des musées, ensuite on faisait du vélo.

→ Après ....

e D'abord on jouait aux raquettes, ensuite on se baignait.

→ Avant ....

Grammaire

L'imparfait

On utilise l'imparfait pour :

• raconter des souvenirs, des habitudes passées
On achetait un chichi. Nous déjeunions.
• décrire une situation passée
Quand j'étais petit. = J'étais un enfant.
On ne s'ennuyait pas. C'était bien !

Formation de l'imparfait

L'imparfait se forme avec la première personne du pluriel au présent (nous) + **ais/ait/aient/ions/iez**
Présent : nous **all**ons
base de l'imparfait : **all**

j'/tu	**all**ais
il/elle/on	**all**ait	─ [ɛ]
ils/elles	**all**aient ─
nous	**all**ions	[jɔ̃]
vous	**all**iez	[je]

❶ Exception : être : j'/tu **ét**ais ; il/elle **ét**ait ; ils/elles **ét**aient ; nous **ét**ions ; vous **ét**iez.

▮**Communiquer**

Raconter un souvenir

8 Écrivez un récit de vacances. Vous devez utiliser les mots suivants : *une robe rouge, un stylo, mercredi, un saumon grillé, trois.*

....

....

....

....

....

....

....

9 À l'oral, racontez vos souvenirs. Commencez par « Quand j'avais 12 ans... ».

Indiquer la chronologie et la fréquence

10 Quand vous étiez enfant, quelles activités faisiez-vous ? Dans quel ordre ? À quelle fréquence ?

Aller à l'école   Faire les devoirs

Déjeuner S'habiller

Se promener   Se doucher

Aller au **Dîner** Faire du

cinéma   Se coucher sport

....

....

....

....

▮**Phonétique**

[ɛ̃] – [ɑ̃] – [ɔ̃]

11 Écoutez et écrivez « in » quand vous entendez [ɛ̃], « an » quand vous entendez [ɑ̃] et « on » quand vous entendez [ɔ̃].

Quand j'étais petit, nous parti.......s en vac.......ces à la m.......tagne. Le mat......., nous nous promeni.......s.

Le soir, nous dîni.......s au restaur.......t. C'était en mille neuf cent quatre-v.......gt. J'avais c.......q ....s.

Leçon 23 | Erasmus

| Comprendre

Un conseil ou une instruction

1 Écoutez et choisissez les phrases qui donnent un conseil ou une instruction.

	a	b	c	d	e	f
✗						

2 Le professeur parle de quoi ? Trouvez dans la liste.

les pronoms compléments directs – la négation – le passé composé – l'imparfait – les « s » du pluriel – ~~les mots « avant » et « après »~~

Vous les utilisez pour situer dans le temps : *les mots « avant » et « après »*

a Vous les écrivez mais vous ne les prononcez pas : ....

b Vous l'utilisez pour raconter un événement passé, terminé et limité dans le temps : ....

c Vous la placez avant et après le verbe : ....

d Vous le formez avec -ais/-ait/-ions/-iez/-aient : ....

e Vous les placez avant le verbe : ....

3 Remettez le dialogue dans l'ordre.

...... – Oui, c'est ça. Et vous envoyez le tout par la Poste.

...... – Bonjour monsieur. Je voudrais m'inscrire en Licence dans votre université. Qu'est-ce que je dois faire ?

...... – Au revoir mademoiselle.

...... – Vous devez d'abord compléter le formulaire d'inscription.

...... – Votre diplôme de fin d'études secondaires.

...... – Très bien. Merci. Au revoir.

...... – C'est mon diplôme de bac, c'est ça ?

  1 – Université de Nantes, bonjour.

...... – D'accord. Quels documents vous demandez avec ce formulaire ?

Pour...

→ **Donner des conseils, des instructions**

Devoir + infinitif : Vous *devez* lire les instructions.
Il faut/Il ne faut pas + infinitif : *Il faut/Il ne faut pas* écrire la date.

→ **Exprimer des besoins**

Avoir besoin de + article + nom
*J'ai besoin d'*un visa.

Les mots...

De l'inscription

s'inscrire
remplir, compléter un formulaire d'inscription
lire les instructions
noter la date dans le cadre
envoyer le formulaire par mail, par la Poste
la signature ; signer

texto

____ Vocabulaire _____

Les mots de l'inscription

4 Retrouvez les 9 mots de l'inscription.

B	E	V	R	F	O	K	C	T	U	F
S	L	O	H	O	Y	N	B	L	H	E
I	N	S	C	R	I	P	T	I	O	N
G	N	I	U	M	R	A	X	R	I	V
N	O	G	F	U	J	T	E	E	M	O
A	T	N	A	L	V	W	D	G	S	Y
T	Z	E	R	A	M	B	A	N	U	E
U	I	R	H	I	U	N	O	T	E	R
R	C	T	I	R	L	V	I	G	S	I
E	R	K	R	E	M	P	L	I	R	L
A	H	O	V	Z	T	G	J	F	K	R
C	O	M	P	L	E	T	E	R	Y	N

5 Complétez avec le bon verbe. Conjuguez si nécessaire.

lire – envoyer – s'inscrire – noter – compléter – signer

> ### POUR .... AUX ACTIVITÉS SPORTIVES.
>
> ❶ Allez sur le site www.sortirplus.fr
>
> ❷ .... la présentation et choisissez un sport.
>
> ❸ .... le formulaire d'inscription.
>
> ❹ .... le sport dans le cadre « Mon activité ».
>
> ❺ Imprimez le formulaire, ...-le en bas à droite et ....-le par la Poste avant le 13 juin.

Le système universitaire en France

6 Complétez le schéma avec les expressions ci-dessous. Puis complétez le schéma de votre pays.

Master – Bac + 5 – Doctorat – Bac + 3 – Licence – Bac + 8

Diplôme	Nombre d'années après le bac

En France

Diplôme	Nombre d'années après le bac

Dans mon pays

Grammaire

Le verbe *devoir*

7 Complétez avec le verbe *devoir* au présent.

a Vous *devez* bien parler français pour vous inscrire dans cette école.

b Mado et Carla .... beaucoup réviser.

c Je .... dîner chez ma grand-mère.

d Tu .... prendre une photo.

e Adrien et moi .... parler à Juliette.

f Cathy .... partir demain avant 8 heures.

Les pronoms compléments directs

8 Écoutez l'exemple et continuez. **62**

Vous notez la date ? → Oui, je la note.

Le présent continu

9 Qu'est-ce qu'ils sont en train de faire ?

a *Il est en train de manger.*

b ....

c ....

d ....

e ....

f ....

---

texto

Grammaire

Le présent continu

être en train de
+ infinitif
Je suis **en train**
de remplir
le formulaire.

Devoir et falloir au présent

Devoir au présent

je /tu	**dois**	⎤ [dwa]
il/elle/on	**doit**	⎦
nous	**devons**	[dəvɔ̃]
vous	**devez**	[dəve]
ils/elles	**doivent**	[dwav]

Falloir au présent

Il **faut**	[fo]

Les pronoms compléments directs (COD)

Ils se placent avant le verbe.
❶ Juste avant l'infinitif avec *il faut/il ne faut pas* et le verbe *devoir*.
Féminin : **la** (**l'** + voyelle) Vous **la** notez. Vous notez **la** date.
Masculin : **le** (**l'** + voyelle) Il ne faut pas **l'**envoyer. Il ne faut pas envoyer **le** formulaire.
Pluriel : **les** (**les** + voyelle) Vous **les** envoyez. Vous envoyez **les** formulaires. Je ne **les** comprends pas. Je ne comprends pas **les** instructions.

⎯⏐ Communiquer ⎯⎯⎯⎯⎯⎯⎯⎯⎯⎯⎯⎯⎯⎯⎯⎯⎯⎯⎯⎯⎯⎯⎯⎯⎯

Pour donner des conseils, des instructions

10 Un ami va visiter votre ville. Il aime la cuisine, la nature et la musique. Il n'aime pas l'art, le sport et les lieux très touristiques. Vous écrivez un mail et vous donnez des conseils de visite.

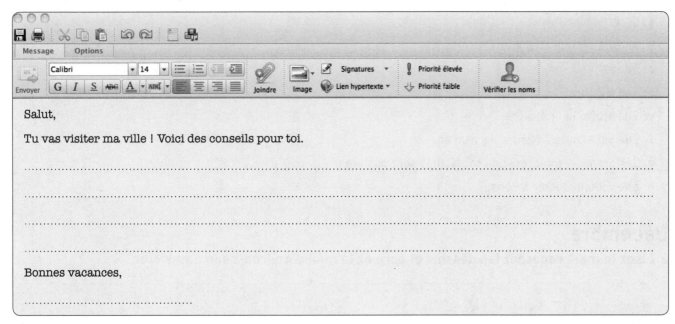

Pour exprimer des besoins

11 Identifiez les besoins pour chaque situation.

Je dois appeler un taxi : *j'ai besoin d'un numéro de téléphone, d'une adresse...*

a Je dois remplir un formulaire : j'ai besoin de ....

b Je dois apprendre le français : ....

c Je dois préparer le repas : ....

d Je dois aller sur Internet : ....

e Je dois prendre le métro : ....

f Je dois aller à la plage : ....

⎯⎯⏐ Phonétique ⎯⎯⎯⎯⎯⎯⎯⎯⎯⎯⎯⎯⎯⎯⎯⎯⎯⎯⎯⎯⎯⎯⎯⎯⎯⎯⎯⎯⎯

[ã] – [ɛ̃] – [ɔ̃]

12 Écoutez et répétez de plus en plus vite.

a Si ton tonton tond ton tonton, ton tonton est tondu !

b Cent étudiants étrangers et français remplissent cent formulaires.

c On comprend ces instructions pour un échange d'étudiants européens.

d Les enfants font enfin des enfants !

Octobre

1 Écoutez et choisissez : vrai ou faux ? 64

	Vrai	Faux
a C'est une interview.	■	■
b Andréa est une étudiante Erasmus.	■	■
c Elle est italienne.	■	■
d Elle a 25 ans.	■	■
e Elle étudie la littérature.	■	■
f Elle est arrivée à Nantes il y a un an.	■	■
g Ses premières impressions sur Nantes sont positives.	■	■
h Elle voulait étudier à Paris.	■	■

Décembre

2 Lisez le mail, regardez les dessins et écrivez le mail d'Andréa à son ami Victor.

Salut Andréa !

Tu as passé une bonne journée ? Qu'est-ce que tu as fait aujourd'hui ?

Bises.

Victor

Salut Victor !

Ce matin ....

....

....

....

Janvier

3 Observez les relevés de notes et complétez le tableau.

Université de Nantes
SANCHEZ Andréa
N° Étudiant : 7683461
Inscrit(e) en : Master de sociologie

RELEVÉ DE NOTES ET RÉSULTATS
Octobre-Janvier 2012-2013

A obtenu les notes suivantes :
Semestre 7

	Notes	Moyenne	Résultats
Histoire de la sociologie	15 – 16 – 18	16,3	Admise
Philosophie	12 – 8 – 13	11	Admise

Université de Nantes
LEPISKA Anna
N° Étudiant : 7684486
Inscrit(e) en : Licence de lettres modernes

RELEVÉ DE NOTES ET RÉSULTATS
Octobre-Janvier 2012-2013

A obtenu les notes suivantes :
Semestre 5

	Notes	Moyenne	Résultats
Histoire littéraire 19e et 20e siècles	12 – 15 – 12	13	Admise
Lexicologie	10 – 8 – 6	8	Non admise

		Andréa	Anna
a	Elle étudie	....	....
b	Elle est en	....	....
c	Elle a réussi	....	....
d	Elle a raté	....	....

4 Andréa et Anna parlent de leurs résultats. Jouez le dialogue.

– Bonjour Andréa.

– Salut Anna !

– …

Faits et gestes

1 Associez les photos aux distances.

a Intime

b Personnelle

c Sociale

2 Lisez la conversation entre Arthur et sa mère et choisissez le bon geste pour accompagner ce qu'ils disent.

MÈRE : Arthur, tu n'as pas fait tes devoirs ! **a** *geste* ....

ARTHUR : Moi ? **b** *geste* ....

MÈRE : Tu ne peux pas sortir avant de faire tes devoirs ! Allez, va les faire ! **c** *geste* .... Tu en as beaucoup ?

ARTHUR : **d** *geste* .... Mais... je voudrais aller à une fête !

MÈRE : Mmmm... Bon, d'accord.

ARTHUR : Super ! **e** *geste* ....

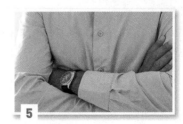

Culture

3 Complétez avec les mots de la page 75 du livre.

Horizontal →

2 Le mot familier pour l'endroit où on peut regarder les films.

5 Nombre de... = La quantité des personnes qui voient le film.

7 Fiche... = Les informations essentielles sur un film.

8 Une personne imaginaire dans l'histoire du film.

9 L'endroit où on s'assoit pour regarder un film.

10 Une grande feuille de papier avec le titre du film et une photo.

Vertical ↑

1 Le nom original de l'invention des frères Lumière.

3 Un type de film sérieux et assez réaliste.

4 ... annonce = Un petit film de 2 ou 3 minutes qui présente un nouveau film au public.

6 Le résumé du film.

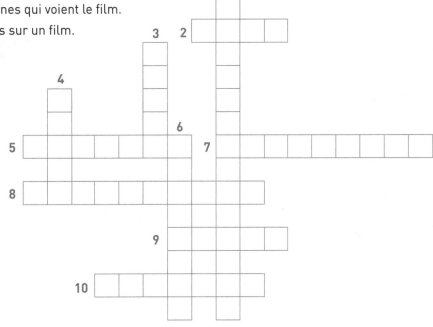

4 Quels lieux culturels parisiens peut-on associer à la Sorbonne (voir vidéo *La Sorbonne*) ?

1

2

3

4

5

6

5 Dites si ces informations sont vraies ou fausses (vidéo *La Sorbonne* et page 87 du livre).

a À l'origine, on étudiait seulement la religion.   ....

b L'inscription à la Sorbonne est gratuite.   ....

c La Sorbonne a été fondée par Napoléon.   ....

d Il y a des spectacles à la Sorbonne.   ....

e La Sorbonne a dix étages.   ....

f Il y a une bibliothèque à la Sorbonne.   ....

Portfolio

Les descripteurs du **Cadre européen commun de référence pour les langues** permettent d'expliquer les compétences de communication attendues à chaque niveau.

Après les 6 dossiers de Texto 1**, vous pouvez vous auto-évaluer.**

Lisez les compétences du CECRL et choisissez votre niveau.

LIRE	Un peu	Assez bien	Bien
Je peux comprendre des messages courts et simples sur une carte postale, un courriel, une carte d'invitation...	■	■	■
Je peux reconnaître les mots ou les expressions les plus courants dans les situations de la vie quotidienne, par exemple sur un formulaire, sur une annonce, sur une liste de courses...	■	■	■
Je peux suivre des indications brèves et simples, par exemple pour s'inscrire à l'université.	■	■	■
Je peux avoir une idée du contenu d'un texte d'informations comme un court extrait littéraire, un test de magazine...	■	■	■

ÉCOUTER	Un peu	Assez bien	Bien
Je peux comprendre l'identité des personnes, la description d'un lieu, les indications pour un rendez-vous.	■	■	■
Je peux comprendre une information chiffrée telle que l'heure, le prix, la date, la quantité, le numéro de téléphone.	■	■	■
Je peux comprendre des instructions très simples pour réaliser une tâche de la vie quotidienne, comme acheter un vêtement dans une boutique.	■	■	■
Je peux comprendre des informations sur les goûts et les activités de loisirs.	■	■	■
Je peux comprendre un message personnel, une chronique radiophonique.	■	■	■
Je peux comprendre des informations pratiques comme le temps qu'il fait ou un programme culturel.	■	■	■

texto

ÉCRIRE

ÉCRIRE	Un peu	Assez bien	Bien
Je peux remplir un formulaire ou une fiche avec mon prénom, ma nationalité, mon âge, mon adresse.	☐	☐	☐
Je peux décrire les lieux où je vis et les personnes que je connais.	☐	☐	☐
Je peux écrire une liste de choses à faire, à acheter.	☐	☐	☐
Je peux raconter ma vie quotidienne, une activité ou un voyage.	☐	☐	☐
Je peux écrire un message à des amis et donner des informations pratiques (rendez-vous, activités possibles...).	☐	☐	☐
Je peux proposer, accepter ou refuser, exprimer des goûts et des sentiments.	☐	☐	☐
Je peux raconter des événements passés ou à venir et exprimer mon intérêt.	☐	☐	☐

PARLER

PARLER	Un peu	Assez bien	Bien
Je peux saluer, me présenter, prendre congé, parler de moi et de mon corps.	☐	☐	☐
Je peux parler de ma famille, de mes habitudes, de mes goûts, de mes loisirs.	☐	☐	☐
Je peux poser des questions simples sur des sujets familiers (ma famille, mes amis, mes voisins) et répondre dans une situation simple de la conversation courante.	☐	☐	☐
Je peux demander ou donner des informations simples sur ma situation personnelle, professionnelle et proposer une activité.	☐	☐	☐
Je peux acheter des produits lors de situations de la vie quotidienne, indiquer la quantité souhaitée et demander le prix.	☐	☐	☐
Je peux parler de mes projets d'avenir et faire des propositions.	☐	☐	☐

DELF A1

Exercice 1

15 points

Vous avez un message sur le répondeur de votre téléphone. Écoutez le message, répondez aux questions et notez les informations demandées.

1 Quel est le jour de la fête ?

3 points

....

2 Qu'est-ce que Julie va préparer en entrée ?

3 points

....

3 Pour le dessert Julie va faire...

2 points

a ■

b ■

c ■

4 Qu'est-ce que vous devez apporter pour la fête ?

2 points

a ■ Du pain.

b ■ Des boissons.

c ■ Le plat principal.

5 Quel est le numéro de téléphone de Julie ?

2 points

06 ....

6 Qu'est-ce que Julie doit vous donner ?

3 points

....

....

....

Exercice 2

10 points

Vous allez entendre 5 petits dialogues correspondant à des situations différentes. Regardez les images, écoutez les dialogues et notez le numéro du dialogue sous l'image qui correspond. Attention, il y a 6 images et seulement 5 dialogues !

a Dialogue
n° ....

b Dialogue
n° ....

c Dialogue
n° ....

e Dialogue
n° ....

d Dialogue
n° ....

f Dialogue
n° ....

II. COMPRÉHENSION DES ÉCRITS

10 points

Lisez ce message puis répondez aux questions en cochant (☒) la bonne réponse ou en écrivant l'information demandée.

Bonjour !
Nous avons enfin trouvé notre location de vacances pour juillet en Savoie. Eh oui, cette année nous n'allons pas à la mer mais à la montagne. On ne va pas se baigner mais on pense faire de belles randonnées à pied. On ne va pas prendre nos vélos, on préfère marcher ! Et puis nous allons profiter de la bonne gastronomie savoyarde ! On sait déjà dans quel restaurant nous allons aller le soir de notre arrivée dimanche. Bref, on ne va pas s'ennuyer ! On part en voiture, c'est plus long qu'en avion mais c'est plus pratique sur place pour se déplacer.
On essaie de se voir avant notre départ ?
Bises, à bientôt !
Paul et Juliette

1 Paul et Juliette vous écrivent parce qu'ils...

2 points

a ▢ vous invitent à partir en vacances avec eux.

b ▢ ont trouvé un hébergement pour leurs vacances.

c ▢ aimeraient avoir des informations sur les vacances en Savoie.

2 Quelle activité pensent-ils faire pendant les vacances ? *2 points*

a ▢   **b** ▢

c ▢

3 Paul et Juliette veulent surtout profiter de… *2 points*

a ▢ la nature.   **b** ▢ la nourriture.   **c** ▢ l'hébergement.

4 Qu'est-ce que Paul et Juliette vont faire le soir de leur arrivée ? *2 points*

....

5 Avec quel moyen de transport Paul et Juliette partent-ils en vacances ? *2 points*

a ▢   **b** ▢   **c** ▢

III. PRODUCTION ÉCRITE 25 points

Exercice 1 10 points

Vous remplissez le formulaire d'inscription à l'université.

Vous vous inscrivez en : .... *(Exemple : Licence 1 de géographie)*	*1 point*
Nom :	*1 point*
Prénom :	*1 point*
Lieu de naissance (ville et pays) :	*2 points*
Date de naissance : .... / .... /	*1 point*
Adresse en France :	*1 point*
Code postal :	*1 point*
Ville :	*1 point*
Numéro de téléphone :	*1 point*

Exercice 2

15 points

Vous allez accueillir un ami francophone qui vient faire ses études dans votre pays.
Il ne connaît pas votre ville. Vous lui envoyez un message pour lui décrire votre ville
et dire les activités que vous aimez faire. (40-50 mots)

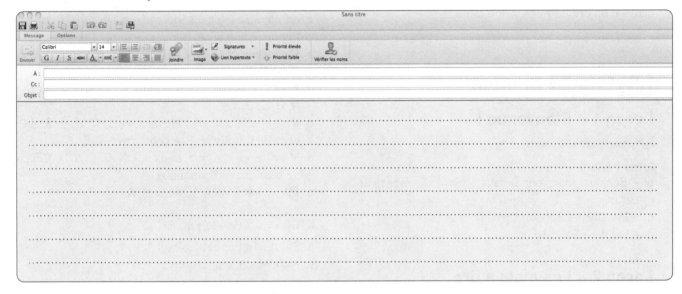

IV. PRODUCTION ORALE

25 points

Exercice 1

Posez des questions à un étudiant de votre groupe à partir des mots suivants.

NATIONALITÉ   MATIÈRES   CAMPAGNE   SPORT   PETIT DÉJEUNER

ACTEUR   COULEUR   TOURISME   RESTAURANT

Exercice 2

Vous êtes dans une boutique de vêtements en France. Vous dites au vendeur ce que
vous recherchez (type de vêtement, taille et couleur). Vous vous informez sur les prix.
Vous choisissez et vous payez.

Transcriptions

On y va !

Piste n° 02, activité 1, page 4

Exemple : un cahier ; a un stylo – b une chaise – c un livre – d un ordinateur – e une table

DOSSIER 1 Bonjour !

Leçon 1 ■ Bienvenue !

Piste n° 03, activité 1, page 8

a – Coucou !
b – Bonjour, monsieur Dufaur. – Bonjour, monsieur Laribi.
c – Bonsoir ! – Bonsoir !
d – Salut ! – Salut !

Leçon 2 ■ Les mots à lire

Piste n° 05, activité 1, page 12

Dialogue 1
– Monsieur Pierre, lisez les lettres s'il vous plaît.
– Oui, U, V… Z, F et A. Ensuite, il y a W, X, O, I, B.
– Et en bas, s'il vous plaît ?
– Alors, J, E, G, T, R, H… Ah non K, et… Y.
– Merci.

Dialogue 2
– Madame Plot, lisez, s'il vous plaît.
– B, V et R, J, H, I. Ah non… Y, O, I, U, T.
– Et ensuite ?
– Euh… I, I, N… C'est difficile ! Z, C, O, A ?

Dialogue 3
– Célestin, tu lis les lettres s'il te plaît.
– A, I…, M, L, O.
– Et après ?
– S, T, I, B, E.
– Et tout en bas ?
– Oui, G, U, J, E, P, Y, V.

Piste n° 06, activité 3, page 12

Salle 1 : Martin, M.A.R.T.I.N, Lomet, L.O.M.E.T et Goutet, G.O.U.T.E.T. Dans la salle 2 : Moulin, M.O.U.L.I.N, Gulon, G.U.L.O.N et Nivette, N.I.V.E.T.T.E. Salle 3 : Lumète, L.U.M.E accent grave T.E, Toulon, T.O.U.L.O.N et Thromas, T.H.R.O.M.A.S.

Piste n° 07, activité 6, page 13

a L D I N U
b F A C É

c S L A T U
d O J R U

Piste n° 08, activité 13, page 15

Exemple : En français, hôpital, ça s'écrit H, O accent circonflexe, P, I, T, A, L.
a Mon prénom, c'est Étienne : E accent aigu, T, I, E, deux N, E.
b Rugby, c'est un mot d'origine anglaise, ça s'écrit : R, U, G, B, Y.
c Il s'appelle Jacques Mève. J, A, C, Q, U, E, S et le nom de famille M, E accent grave, V, E.
d Ma ville, ça s'écrit Y, deux S, I, N, G, E, A, U, X et ça se prononce : Yssingeaux.
e Elle, c'est EMMA. E, deux M, A.

Piste n° 10, activité 15, page 15

a Salut ! Tu t'appelles Paul ?
b Non. Moi, c'est Laurent.

Piste n° 11, activité 16, page 15

a Toulouse – b Pau – c Orléans – d Biarritz – e Nîmes – f Genève

Leçon 3 ■ Les mots à écouter

Piste n° 12, activité 1, page 16

LA VENDEUSE : Monsieur ?
LE CLIENT : Bonjour. Une baguette, s'il vous plaît.
LA VENDEUSE : Une baguette, voilà, 1 euro.
LE CLIENT : Merci, au revoir.
LA VENDEUSE : Au revoir monsieur.

Piste n° 13, activité 5, page 17

a Bonjour. Bonjour. Bonjour.
b S'il vous plaît, s'il vous plaît, s'il vous plaît.
c Salut ! Salut ! Salut !
d Merci ! Merci ! Merci !

Piste n° 14, activité 7, page 18

Exemple : café, masculin → un café, des cafés
C'est à vous.
a baguette, féminin → une baguette, des baguettes
b accent, masculin → un accent, des accents
c restaurant, masculin → un restaurant, des restaurants
d femme, féminin → une femme, des femmes
e prénom, masculin → un prénom, des prénoms
f table, féminin → une table, des tables
g entrée, féminin → une entrée, des entrées

h ordinateur, masculin → un ordinateur, des ordinateurs

Piste n° 15, activités 8 et 9, page 18

a des baguettes – b des étudiants – c des classes – d des stylos – e des chaises – f des fêtes – g des cafés – h des mots

Bilan

Piste n° 17, activités 2 et 3, page 20

PROFESSEUR : Bonjour à tous et bienvenue dans la classe. Je m'appelle Philippe Mantin. Je suis votre professeur. Alors. Clémentine. Votre nom, s'il vous plaît ?
CLÉMENTINE : Arbot.
PROFESSEUR : Comment ça s'écrit ?
CLÉMENTINE : A.R.B.O.T
PROFESSEUR : Merci. Marek, votre nom ?
MAREK : Rezkallah. R.E.Z.K.A.L.L.A.H.
PROFESSEUR : Piotr ?
PIOTR : Fabianski.
PROFESSEUR : Avec un Y ?
PIOTR : Non, un i, F.A.B.I.A.N.S.K.I.
PROFESSEUR : D'accord. Ensuite... Julia...
JULIA : Dupré, D.U.P.R.E accent aigu.
PROFESSEUR : Et Adrien...
ADRIEN : Lormac, L comme Laurent O.R.M.A.C.
PROFESSEUR : Merci.

Piste n° 18, activité 4, page 21

Maintenant dictée ! Je prononce des mots et vous écrivez : a tableau – b chaise – c fête – d bureau – e prénom – f restaurant – g boulangerie – h café

DOSSIER 2 Identités

Leçon 5 ■ Moi, je suis...

Piste n° 19, activité 1, page 22

Moi, c'est Didier et voici ma famille. Ma femme s'appelle Rosine. Nous avons une fille, Alix. Elle a 36 ans et est mariée avec Célestin. Ils ont deux enfants : Jacques a 8 ans et Eva a 11 ans.

Leçon 6 ■ Mes amis et moi

Piste n° 21, activité 1, page 26

a Je m'appelle Yelena. Je suis russe, mais j'habite aux États-Unis.

b Je suis né le 16 avril 1991. Je suis allemand, je viens de Berlin.
c Je m'appelle Robert. Je parle anglais et français.
d Je viens de New York, mais j'habite à Los Angeles. Je suis américain.
e Je m'appelle Caroline. Je suis née le 3 septembre 1985 à Paris.
f Je suis italien, j'habite au Mexique. Je parle 5 langues : italien, espagnol, français, allemand et anglais.

Leçon 7 ■ Toi

Piste n° 23, activité 1, page 30

– Bonjour, votre nom s'il vous plaît ?
– Nallet.
– Comment ça s'écrit ?
– N comme Noémie, A, deux L, E, T.
– Et votre prénom ?
– Louis.
– Vous avez quel âge ?
– 40 ans.
– Et qu'est-ce que vous faites dans la vie ?
– Je suis architecte à Bordeaux.
– D'accord. Votre numéro de téléphone ?
– 05 45 67 75 89.
– Un portable ?
– Oui, c'est le 06 25 78 17 75.
– Votre adresse email, s'il vous plaît ?
– louisnal@gmail.com. L. O. U. I S. N. A. L

Piste n° 24, activité 9, page 32

Exemple : Un portable / À moi ou à toi ? → C'est mon portable ou c'est ton portable ?
C'est à vous.
a Un numéro / À toi ou à elle ? → C'est ton numéro ou c'est son numéro ?
b Une adresse / À vous ou à lui ? → C'est votre adresse ou c'est son adresse ?
c Une sœur / À toi ou à elle ? → C'est ta sœur ou c'est sa sœur ?
d Un fils / À lui ou à toi ? → C'est son fils ou c'est ton fils ?
e Un livre / À moi ou à lui ? → C'est mon livre ou c'est son livre ?

Bilan

Piste n° 26, activité 1, page 34

Moi je m'appelle Clara et je vous présente ma famille. Mon père s'appelle Hugo et ma mère s'appelle Caroline. Lui, c'est mon frère, Simon. Sa femme s'appelle

Nathalie. Ils ont un fils. Il s'appelle Paul. Je suis mariée avec Laurent. Nous avons un fils, il s'appelle Nicolas. Et une fille, elle s'appelle Cathy.

DOSSIER 3 Sorties

Leçon 9 ▪ Et pour vous ?

Piste n° 27, activité 3, page 39

Table 1 : Nous prenons deux poulets rôtis, deux crèmes brûlées, un jus de fruit et une carafe d'eau.
Table 2 : Deux steaks, une salade, deux mousses au chocolat et une bouteille de vin, s'il vous plaît.

Piste n° 28, activité 10, page 41

Dessert, mousse au chocolat → Je voudrais un dessert : la mousse au chocolat, s'il vous plaît.
C'est à vous.

a Plat, poulet basquaise → Je voudrais un plat : le poulet basquaise, s'il vous plaît.
b Plat, saumon → Je voudrais un plat : le saumon, s'il vous plaît.
c Menu, menu à 17 euros → Je voudrais un menu : le menu à 17 euros, s'il vous plaît.
d Salade, salade italienne → Je voudrais une salade : la salade italienne, s'il vous plaît.

Leçon 10 ▪ À Paris

Piste n° 30, activité 2, page 43

Sur la photo, c'est Tania et moi sur le Pont Neuf à Toulouse. On regarde les bateaux sur la Garonne.

Piste n° 31, activité 10, page 45

a les quais – b les musiques – c les ponts – d les jardins – e les monuments – f les amis.

Leçon 11 ▪ Métro Odéon

Piste n° 33, activité 1, page 46

Demain matin, le musée ouvre à neuf heures et demie.

a Ils vont au cinéma à sept heures moins vingt.
b Le matin à huit heures, je fais une promenade sur les quais.
c Nous prenons le bateau pour la Corse à deux heures et quart.
d Vous déjeunez où, à midi ?
e Qu'est-ce que vous faites cet après-midi à trois heures ?
f Rendez-vous devant le restaurant à une heure moins le quart.

Piste n° 34, activité 2, page 46

Dialogue 1
– Allô ?
– Salut Benjamin, c'est Clara ! Dis-moi, ça te dit d'aller visiter un musée samedi après-midi ?
– Non, désolé. Samedi à 15 h, je vais au théâtre de la rue des Écoles, avec Fabien.
– Ok. Et samedi soir ? Tu es libre ?
– Oui. À quelle heure ?
– À 20 h, il y a un bon film : *Le Havre*.
– Super, on se retrouve où ?
– Devant le métro Odéon.
– Ok, à samedi !
– À samedi.

Dialogue 2
– Allô ?
– Salut, c'est Camille. Tu veux faire une promenade dans le jardin des Tuileries ?
– Oui, je veux bien. Quand ?
– Je regarde... Samedi à 10 h ?
– D'accord.
– Et le soir ? Qu'est-ce que tu fais ?
– Le soir... je vais au ciné avec Clara. Tu viens avec nous ?
– Avec vous ? Non désolée, je ne veux pas venir. J'aime le ciné mais je n'aime pas Clara.
– Bon... Ok... Alors... à samedi matin pour la promenade.
– Ok. Bises.

Piste n° 35, activité 7, page 48

J'aime les musées. → Je n'aime pas les musées.
C'est à vous.

a Je suis français. → Je ne suis pas français.
b Nous habitons en France. → Nous n'habitons pas en France.
c Elle va au cinéma demain. → Elle ne va pas au cinéma demain.
d Ils font la fête ce soir. → Ils ne font pas la fête ce soir.
e On prend le plat du jour. → On ne prend pas le plat du jour.
f Vous avez rendez-vous à 15 h. → Vous n'avez pas rendez-vous à 15 h.

Bilan

Piste n° 37, activité 4, page 51

SERVEUR : Bonjour, qu'est-ce que vous prenez ?
M. TRUBLION : Nous prenons deux menus entrée-plat.

SERVEUR : Qu'est-ce que vous prenez comme entrée ?

M. TRUBLION : Des escargots.

SERVEUR : Et pour vous madame ?

MME TRUBLION : Une salade, s'il vous plaît.

SERVEUR : Et comme plat ?

MME TRUBLION : Un saumon grillé.

SERVEUR : Désolé, pas de saumon grillé aujourd'hui.

MME TRUBLION : Pfff, bon... Un poulet rôti.

SERVEUR : Un poulet rôti. Et pour monsieur ?

M. TRUBLION : Un steak frites, bien cuit.

⚹ Piste n° 38, activité 5, page 51

M. TRUBLION : Qu'est-ce qu'on fait maintenant ?

MME TRUBLION : Un film, ça te dit ?

M. TRUBLION : Le cinéma, bof ! On fait une promenade ?

MME TRUBLION : Ok, dans le jardin des Tuileries ?

M. TRUBLION : Ou sur les quais ?

MME TRUBLION : Oh non, pas les quais, il fait froid.

M. TRUBLION : Ok, dans le jardin. Et après ?

MME TRUBLION : On va dans un café ?

M. TRUBLION : D'accord.

DOSSIER 4 Achats

Leçon 13 ▪ Ça vous plaît ?

⚹ Piste n° 39, activité 1, page 52

Dialogue 1

– Bonjour madame, je peux vous aider ?

– Oui, je cherche une veste noire.

– Quelle taille ?

– 40.

– Cette veste vous plaît ?

– Oui, elle coûte combien ?

– 79 €. Vous payez comment ?

– Par chèque.

Dialogue 2

– Bonjour monsieur, je voudrais ce pantalon, taille 38, s'il vous plaît.

– Oui, quelle couleur ?

– Gris.

– Voulez-vous l'essayer ?

– Non. Il coûte combien ?

– 59 €. Vous payez comment ?

– Par carte.

Dialogue 3

– Bonjour madame, vous cherchez ?

– Un pantalon noir.

– Quelle est votre taille ?

– 36.

– Voilà.

– Combien il coûte ?

– 69 €.

– Je le prends.

– Vous payez par carte ?

– Non, en liquide.

⚹ Piste n° 40, activité 11, page 55

a J'ai une veste bleue. → Une veste bleue !

b J'ai deux vestes bleues. → Deux vestes bleues !

c J'ai vingt-deux robes. → Vingt-deux robes !

d J'ai vingt-deux robes bleues. → Vingt-deux robes bleues !

e J'ai deux cravates roses. → Deux cravates roses !

f J'ai deux tee-shirts roses et bleus. → Deux tee-shirts roses et bleus !

Leçon 14 ▪ Qu'est-ce qu'on mange ?

⚹ Piste n° 41, activité 1, page 56

Pour préparer un poulet à la provençale : d'abord, faites dorer le poulet dans une cocotte avec de l'huile. Ajoutez les oignons, un peu d'ail et des courgettes coupées en morceaux. Salez et poivrez. Versez la sauce tomate et le vin blanc. Laissez cuire une heure et servez chaud.

⚹ Piste n° 42, activité 13, page 59

l'oignon → un peu d'oignon

a l'ail → un peu d'ail

b le sel → un peu de sel

c l'eau → un peu d'eau

d le poivre → un peu de poivre

e l'huile → un peu d'huile

Leçon 15 ▪ Au marché

⚹ Piste n° 43, activité 1, page 60

VENDEUR : C'est à qui ?

CLIENTE : C'est à moi. Je voudrais des pommes de terre, s'il vous plaît.

VENDEUR : Combien ?

CLIENTE : 1 kilo.

VENDEUR : Et avec ça ?

CLIENTE : 500 grammes de carottes.

VENDEUR : C'est tout ?

CLIENTE : Non, je voudrais des fruits.

VENDEUR : Quels fruits ?

CLIENTE : 1 kilo d'oranges et des fraises.

VENDEUR : Ah ! Pas de fraises, ce n'est pas la saison.

CLIENTE : Bon ben 500 grammes de raisin. Je vous dois combien ?

VENDEUR : 19 euros et trente centimes.

CLIENTE : Au revoir.

VENDEUR : Au revoir. C'est à qui ?

Piste n° 44, activité 12, page 63

Exemple : Tu veux des courgettes ? → Oui, des courgettes, deux.

a Tu veux des pommes ? → Oui, des pommes, deux.
b Tu veux des fraises ? → Oui, des fraises, deux.
c Tu veux des tomates ? → Oui, des tomates, deux.
d Tu veux des carottes ? → Oui, des carottes, deux.
e Tu veux des oranges ? → Oui, des oranges, deux.
f Tu veux des pommes de terre ? → Oui, des pommes de terre, deux.

Bilan

Piste n° 45, activité 3, page 64

Dialogue 1

VENDEUR : C'est à qui ?

CLIENTE : C'est à moi. Je voudrais 1 kilo de tomates s'il vous plaît.

VENDEUR : Avec ça ?

CLIENTE : Des pommes.

VENDEUR : Combien ?

CLIENTE : 1 kilo.

VENDEUR : C'est tout ?

CLIENTE : Non, je voudrais des fraises, c'est pour une tarte.

VENDEUR : Et avec ça.

CLIENTE : C'est tout. Je vous dois combien ?

VENDEUR : 13 euros 50.

Dialogue 2

VENDEUR : Bonjour madame, c'est à vous ?

CLIENTE : Oui ! Je voudrais 1 kilo de tomates s'il vous plaît.

VENDEUR : Avec ça ?

CLIENTE : Des pommes de terre.

VENDEUR : Combien ?

CLIENTE : 2 kilos.

VENDEUR : C'est tout ?

CLIENTE : Non, je voudrais des fraises, c'est pour une tarte.

VENDEUR : Et avec ça.

CLIENTE : C'est tout. Je vous dois combien ?

VENDEUR : 13 euros 50.

CLIENTE : Au revoir.

VENDEUR : Au revoir.

CLIENTE : Bon, à la poissonnerie maintenant.

Piste n° 46, activité 5, page 65

– Alors, les moules frites, c'est facile. Pour 4 personnes, achète 3 kilos de moules, 3 oignons et un verre de vin blanc. Achète aussi deux gousses d'ail. Pour préparer, tu mets les moules dans une grande casserole et tu coupes les oignons. Ajoute les oignons coupés. Tu fais cuire puis tu ajoutes un verre de vin blanc. Tu laisses cuire encore 10 minutes puis tu sers chaud avec des frites.

– Ok, merci beaucoup.

DOSSIER 5 Rencontres

Leçon 17 ■ Et une comédie ?

Piste n° 47, activité 2, page 68

– Allô !

– Salut Théo, c'est Nina.

– Salut, ça va ?

– Super. Ce soir, on va voir un film avec Pierre. Ça te dit de venir avec nous ?

– Vous allez voir quel film ?

– *The Artist.*

– C'est un film américain ?

– Non, c'est un film français en noir et blanc.

– Je préfère les films en couleurs.

– En plus, les acteurs ne parlent pas dans ce film.

– Quoi ! C'est un vieux film ? Je n'aime pas les vieux films, c'est ennuyeux.

– Non, c'est un nouveau film. Et c'est une comédie. Tu n'aimes pas les films drôles ?

– Si mais je préfère les films d'action. Je ne vais pas venir avec vous.

– Ok. Une autre fois !

– Oui, une autre fois. Salut.

– Salut.

Piste n° 48, activité 13, page 71

f 2 – a 3 – d 4 – b 5 – e 6

Leçon 18 ■ Personnalités

Piste n° 49, activité 2, page 72

Dialogue 1

– Madame, décrivez l'homme s'il vous plaît.

– Oui. C'est un grand jeune homme. Il a les cheveux bruns et les yeux bleus et il est un peu rond.

– D'accord.

Dialogue 2

– Bonsoir Madame, je suis chauffeur de l'hôtel de Bretagne. Je suis à l'aéroport. Où êtes-vous ?

– Je suis devant le hall d'arrivée : je suis <u>mince</u> et <u>brune</u>. Ma valise est <u>rouge</u>. Vous me voyez ?

– Ah oui, je vous vois.

Dialogue 3

– Il est comment ton nouveau copain ?

– Il est <u>grand</u>, brun et <u>très élégant</u> et il a de très <u>beaux yeux bleus</u>.

– Waah, quel <u>bel</u> homme !

📄 **Piste n° 50, activité 6, page 73**

Il est intelligent ? / stupide → Non, il n'est pas intelligent. Il est stupide.

a Elle est jeune ? / âgée → Non, elle n'est pas jeune. Elle est âgée.

b Elles sont joyeuses ? / tristes → Non, elles ne sont pas joyeuses. Elles sont tristes.

c Il est petit ? / grand → Non, il n'est pas petit. Il est grand.

d Il est blond ? / brun → Non, il n'est pas blond. Il est brun.

📄 **Piste n° 51, activité 14, page 75**

Dominique est une femme âgée. Elle est grande et mince. Elle est belle et élégante. Elle a les cheveux gris.

Leçon 19 ■ Le livre du jour

📄 **Piste n° 52, activité 1, page 76**

a Je cherche une robe rouge.

b J'ai acheté du saumon.

c Je vais appeler un taxi.

d J'ai habité à Paris.

e Je vais commander les desserts.

f Je prépare un poulet à la provençale.

📄 **Piste n° 53, activité 8, page 78**

Aujourd'hui, je mange au restaurant. → Hier aussi, j'ai mangé au restaurant.

a Aujourd'hui, il sort avec ses amis. → Hier aussi, il est sorti avec ses amis.

b Aujourd'hui, elles vont au cinéma. → Hier aussi, elles sont allées au cinéma.

c Aujourd'hui, ils viennent chez moi. → Hier aussi, ils sont venus chez moi.

d Aujourd'hui, nous rentrons tard. → Hier aussi, nous sommes rentrés tard.

e Aujourd'hui, tu prends le métro. → Hier aussi, tu as pris le métro.

f Aujourd'hui, vous faites du sport. → Hier aussi, vous avez fait du sport.

📄 **Piste n° 54, activité 12, page 79**

Anouk a rencontré Arthur à la fin de ses études. Il n'a pas voulu partir avec elle en Afrique. Aujourd'hui, elle est revenue à Toulouse. Elle a rendez-vous avec Arthur. Elle a choisi une jolie robe et elle a pris le bus.

Bilan

📄 **Piste n° 55, activité 2, page 80**

CLOÉ : Comment s'appelle l'actrice du film ?

GREG : C'est Elsa Moro. Elle a aussi joué dans des comédies. Tu la connais ?

CLOÉ : Non. Elle est comment ?

GREG : Elle a une quarantaine d'années. Elle est petite, un peu ronde et a les cheveux châtains. C'est une très bonne actrice.

CLOÉ : Ah oui, je vois.

GREG : Vite, il est 19 h 50. Le film va commencer !

📄 **Piste n° 56, activité 3, page 80**

GREG : Alors, tu as aimé le film ?

CLOÉ : Oui, c'est un très bon film. J'ai adoré. La musique est belle et les acteurs sont fantastiques ! Et toi, tu as aimé ?

GREG : C'est... pas mal. Les images de l'Italie sont belles mais les dialogues sont ennuyeux.

CLOÉ : Non, les dialogues sont intéressants et beaux.

GREG : La semaine prochaine, on va regarder un film d'action américain en DVD, d'accord ?

CLOÉ : Ah non, je n'aime pas ce type de films ! On va aller à un concert.

DOSSIER 6 Études

Leçon 21 ■ Le lycée, c'est fini !

📄 **Piste n° 57, activité 1, page 82**

FRED : Salut Camille !

CAMILLE : Bonjour Fred.

FRED : Alors, tu as réussi tes examens ?

CAMILLE : J'ai réussi trois matières sur quatre.

FRED : C'est bien !

CAMILLE : Mouais ! Je dois repasser une matière en septembre.

FRED : Ah ! Tu vas réviser pendant les vacances.

CAMILLE : Eh oui ! Et toi ?

FRED : Ben moi, j'ai raté quatre matières sur quatre !

CAMILLE : Oh la la ! Mais tu n'as pas travaillé cette année ?

FRED : Non et je n'ai pas suivi beaucoup de cours. Je n'aime pas étudier, je vais arrêter la fac.

CAMILLE : Ah bon ! Mais qu'est-ce que tu vas faire ?

FRED : Je vais voyager !

CAMILLE : Voyager ?

FRED : Oui, pendant un an ! En Amérique du Sud.

CAMILLE : C'est super !!!

📄 **Piste n° 58, activité 12, page 85**

Ils sont trente ou cinq ? → Pas trente, cinq !

a Ils sont trente ou quinze ? → Pas trente, quinze !

b Ils sont quarante ou vingt ? → Pas quarante, vingt !

c Ils sont soixante ou quatre-vingts ? → Pas soixante, quatre-vingts !

d Ils sont cent ou un ? → Pas cent, un !

e Ils sont soixante-dix ou quatre-vingt-dix ? → Pas soixante-dix, quatre-vingt-dix !

f Ils sont cinquante ou cinquante et un ? → Pas cinquante, cinquante et un !

Leçon 22 ■ Les vacances

📄 **Piste n° 59, activité 2, page 86**

J'allais à la piscine le mercredi.

a Nous partions en vacances en avril et en juillet.

b Le samedi, vous dîniez au restaurant.

c Nous allions au cinéma le lundi et le jeudi.

d En décembre, on allait à la montagne.

📄 **Piste n° 60, activité 11, page 89**

Quand j'étais petit, nous partions en vacances à la montagne. Le matin, nous nous promenions. Le soir, nous dînions au restaurant. C'était en mille neuf cent quatre-vingt. J'avais cinq ans...

Leçon 23 ■ Erasmus

📄 **Piste n° 61, activité 1, page 90**

Il faut dire bonjour.

a Tu peux venir chez moi ?

b Il faut apprendre l'espagnol et le français.

c Vous avez besoin d'un nouveau sac.

d Vous devez porter une chemise blanche.

e Il ne faut pas commander ce plat.

f Il est en train de compléter le formulaire.

📄 **Piste n° 62, activité 8, page 92**

Vous notez la date ? → Oui, je la note.

a Vous comprenez l'exercice ? → Oui, je le comprends.

b Vous envoyez cette lettre ? → Oui, je l'envoie.

c Vous écoutez le dialogue ? → Oui, je l'écoute.

d Vous faites l'inscription ? → Oui, je la fais.

e Vous aimez les cours ? → Oui, je les aime.

Bilan

📄 **Piste n° 64, activité 1, page 94**

JOURNALISTE : Bienvenue sur Fac FM, la radio de votre université. Aujourd'hui, nous recevons Andréa. Elle fait partie du programme Erasmus. Bonjour Andréa.

ANDRÉA : Bonjour.

JOURNALISTE : Andréa, pouvez-vous vous présenter ?

ANDRÉA : Oui, bien sûr. Je m'appelle Andréa, j'ai 23 ans. Je suis espagnole, je viens de Barcelone et j'étudie la sociologie.

JOURNALISTE : Andréa, quand êtes-vous arrivée à Nantes ?

ANDRÉA : Je suis arrivée à Nantes il y a un mois.

JOURNALISTE : Et vous allez rester combien de temps ?

ANDRÉA : Je vais rester pendant un an.

JOURNALISTE : Quelles sont vos premières impressions ?

ANDRÉA : Nantes est une très belle ville. Il y a beaucoup de jeunes. C'est très sympa. Mais il fait froid.

JOURNALISTE : Pourquoi êtes-vous venue à Nantes ?

ANDRÉA : Parce que je veux étudier la sociologie bien sûr. Et puis je voulais voyager, visiter la France.

JOURNALISTE : Pourquoi vous n'êtes pas allée à Paris ?

ANDRÉA : À Paris, la vie est trop chère ! Et la mer est trop loin !

JOURNALISTE : Merci Andréa !

Delf A1

📄 **Piste n° 65, exercice 1, page 100**

Bonsoir ! C'est Julie. Pour notre fête samedi soir, je vais préparer une salade en entrée et je vais faire une tarte aux pommes en dessert. Est-ce que tu peux apporter une baguette s'il te plaît ? Simon apporte le plat principal et les boissons. Appelle-moi au 06 33 54 26 28 quand tu es disponible, s'il te plaît, je dois te donner mon adresse pour venir chez moi.

Piste n° 66, exercice 2, page 101

Dialogue 1

LA VENDEUSE : Bonjour monsieur. Je peux vous aider ?

LE CLIENT : Oui, je cherche une veste noire taille 50.

LA VENDEUSE : Voilà, vous voulez l'essayer ?

LE CLIENT : Oui, merci.

Dialogue 2

LE VENDEUR : Bonjour madame, que désirez-vous ?

LA CLIENTE : Je voudrais un kilo de tomates, deux kilos de pommes de terre et un kilo d'oignons, s'il vous plaît.

LE VENDEUR : Et voilà ! 6,50 €, s'il vous plaît.

Dialogue 3

– Ce plat est délicieux !

– Oui, on mange vraiment bien dans ce restaurant !

– Qu'est-ce que tu vas prendre comme dessert ?

– Je ne sais pas...

Dialogue 4

L'ÉTUDIANTE : Salut ! Alors, tu as vu les résultats ?

L'ÉTUDIANT : Oui, j'ai raté mon semestre.

L'ÉTUDIANTE : C'est pas vrai ! Mais tu peux repasser tes examens en juillet ?

L'ÉTUDIANT : Oui, mais il faut que je révise maintenant !

Dialogue 5

L'ÉTUDIANT : Tu connais la fille là-bas ?

L'ÉTUDIANTE : La blonde en rouge ?

L'ÉTUDIANT : Non, la brune aux yeux bleus.

L'ÉTUDIANTE : Oui, c'est Lisa, elle est italienne.

Achevé d'imprimer en Italie par L.E.G.O. S.p.A.
Dépôt légal : février 2019 - Collection n° 12 - Édition 07
38/3433/7